Deutsch aktiv
Ein Lehrwerk für Erwachsene

Arbeitsbuch 1

Gerd Neuner, Reiner Schmidt, Heinz Wilms und Manfred Zirkel

LANGENSCHEIDT

BERLIN · MÜNCHEN · WIEN · ZÜRICH

Deutsch aktiv
Ein Lehrwerk für Erwachsene

Arbeitsbuch 1

von
Gerd Neuner, Reiner Schmidt, Heinz Wilms und Manfred Zirkel

in Zusammenarbeit mit
Theo Scherling (Zeichnungen und Layout)
Bjarne Geiges (Fotografie)

Redaktion: Gernot Häublein und Hans-Reinhard Fischer

Umschlaggestaltung: Arthur Wehner, Grafik-Design BDG

Quellennachweis für Texte und Abbildungen s. S. 136

Druck: 5.	Letzte Zahlen
Jahr: 83 82 81	maßgeblich

© 1979 Langenscheidt KG, Berlin und München

Druck: Druckhaus Langenscheidt, Berlin-Schöneberg
Printed in Germany · ISBN 3-468-49901-9

Inhaltsverzeichnis

Unterrichten und Lernen mit dem Arbeitsbuch

Informationen für Lehrer und Lernende

Da Ihre Kursteilnehmer gerade beginnen, Deutsch zu lernen, verstehen sie natürlich am Anfang diese Arbeitshinweise noch nicht. Bitte erklären Sie als Lehrer deshalb die wichtigsten Hinweise in der Muttersprache der Lernenden; oder machen Sie einfach vor, wie eine Aufgabe gelöst werden soll.

1. Dieses *Arbeitsbuch* ist so angelegt, daß Ihre Lernenden hineinschreiben können: deshalb das große Buchformat und die geräumigen Schreibzeilen. (Sollte Ihre Schule/Institution die *Arbeitsbücher* mehrfach ausleihen, brauchen die Kursteilnehmer zu jeder Buchseite ein liniertes Blatt, auf das sie ersatzweise schreiben.)

2. Sie können das *Arbeitsbuch* gezielt für bestimmte Phasen des Klassenunterrichts und für die häusliche Arbeit der Lernenden einsetzen. Dem letzteren Zweck dienen vor allem die am Seitenrand mit S gekennzeichneten Übungen (S = für das lehrerunabhängige Selbststudium, mit Lösungsschlüssel). Alle anderen Übungen sind mehr oder weniger produktiv und deshalb nicht streng gesteuert; sie bedürfen also Ihrer Lenkung und helfenden Begleitung im Unterricht.

3. Zwar steht beim *Arbeitsbuch* das schriftliche Arbeiten im Vordergrund, doch können die meisten Übungen auch mündlich durchgeführt werden, gleich ob vom einzelnen Lernenden, von Lerngruppen oder in der Klasse.

4. Die *Arbeitsbuch*-Übungen haben genau dieselbe Numerierung wie die entsprechenden *Lehrbuch*-Abschnitte. Allerdings gibt es nicht zu jedem *Lehrbuch*-Abschnitt eine Übung im *Arbeitsbuch*: zu den B-Teilen des *Lehrbuchs* nie (weil selbst Übungsteile!); zu den C- und E-Teilen sowie zu den Abschnitten der Kapitel 4, 8, 12 nur in Auswahl.

5. Am Ende der Kapitel 4, 8, 12 finden Sie "Wiederholungsübungen", die besonders wichtige Sprechhandlungen der zurückliegenden Kapitel nochmals übend aufgreifen und zugleich auf die direkt folgenden "Kontrollaufgaben" vorbereiten. Diese drei Test-Einheiten zu je 4 Kapiteln können Sie als informellen Test in der Klasse, aber auch in häuslicher Einzelarbeit einsetzen. Besonders nützlich sind die zugehörigen "Vorschläge zur Wiederholung" im Lösungsschlüssel: Dort erfährt jeder Lernende individuell, welche *Lehrbuch*-Abschnitte er im Zusammenhang mit seiner "Fehler"-Zahl nochmals studieren sollte.

6. Methodische Vorschläge für die Verwendung des *Arbeitsbuchs* von Kapitel zu Kapitel finden Sie detailliert im *Lehrerhandbuch*, insbesondere zu den exemplarisch kommentierten *Lehrbuch*-Kapiteln 7 und 1.

1 Wer sagt was?

Guten Tag, ich heiße Fischer.

Verzeihung, wie ist Ihr Name?

Guten Tag, Braun.

Mr. Conrad.

Guten Tag, Herr Karlsson.

Mustafa.

Das ist Frau Bléri.

Ich heiße Max. Und du?

Mein Name ist Jablonski.

Hallo, Peter!

Watanabe.

Guten Tag, Frau Bauer.

Und wer ist das da?

Guten Tag, mein Name ist Boulden.

Hallo, Nancy!

Hallo, Paul!

Freut mich!

Gut, alter Freund.

Wie geht's?

Wie ist **Ihr** Name? – Ich heiße _____

2 Woher kommt/ist Herr Watanabe?

Herr Watanabe
kommt aus Japan.

Herr Conrad ist _____

_____

Herr Tulla _____

Gösta Karlsson _____

_____

_____

Madeleine Bléri _____

Frau Bauer _____

_____

Frau Huber _____

Mustafa und Max _____

_____

_____

Nancy Boulden _____

Leo Santos _____

_____

_____

Wie heißen Sie? –

Ich heiße _____

Woher kommen Sie? –

Ich komme _____

3 Wer sagt was?

a. Ich komme aus Australien.

b. Eine Cola, bitte.

① c. Was nehmen Sie?

d. Sprechen Sie Französisch?

e. Auch ein Bier, bitte.

f. Hallo, alter Freund!

g. Freut mich!

h. Woher kommen Sie?

① i. Nehmen Sie auch Cola?

j. Ja, ein bißchen.

① k. Und Sie?

l. Mensch, Mustafa!

m. Das ist Herr Huber.

n. Nein, ich trinke ein Bier.

① — c.
② —
③ —
④ —

① — c.
      i.
      k.

Die internationale Diskussion

1. Wer ist das?

_____

4. Wer trinkt Milch?

_____

2. Was trinkt Nancy Boulden?

_____

5. Trinkt Frau Bauer auch Milch?

_____

3. Woher kommt Leo Santos?

_____

6. Wer spricht Französisch?

_____

1D

S 1 Ergänzen Sie bitte

1. Wie heiß__en__ Sie? Woher komm_____ Sie? Was trink_____ Sie? -

2. Ich heiß_____ Bauer. Ich komm_____ _____ München. _____ trinke Bier.

3. Hallo, Nancy! Was trink_____ du? Bier oder Cola? - Lieber _____

4. Das _____ Herr Tulla; er _____ aus Nigeria; _____ trinkt Cola; er _____

   Französisch und ein bißchen Deutsch.

S 2 Fragen Sie bitte

Ich heiße Gösta Karlsson.	—	1. Wie heißen Sie?
Ich heiße Madeleine Bléri.	—	2. _____ Sie?
Ich heiße Max.	—	3. _____ du?
Ich trinke lieber Cola.	—	4. _____ Sie?
Ich komme aus Australien.	—	5. _____ Sie?
Ich komme aus Frankreich.	—	6. _____ du?
Ich trinke Whisky.	—	7. _____ du?
Mein Name ist Watanabe.	—	8. _____ Ihr Name?
Ich komme aus Japan.	—	9. _____ Sie?
Das ist Frau Boulden.	—	10. Wer _____ das?
Ich bin Mustafa.	—	11. _____ du?
Ich bin Karel Jablonski.	—	12. _____ Sie?

1 a Wer ist das? Woher kommt er/sie?

1. Das ist _____

_____

Sie _____

_____

3. _____

_____

_____

2. _____

_____

_____

4. _____

_____

_____

b Wer kommt aus . . . . .

Ober-Gleen?	Erben-hausen?	Heimerts-hausen?
Ingo Dunker	Erich Ebke	Wolfgang Engel

Dunker Ingo Maschinist 71 80
Ober-Gleen
Ebke Erich ℗ 72 06
OmnibusBetr. Erbenhausen
AmhohenRain 3 11
Ebke Wilhelm Erbenhausen 3 53
Eckstein Karl 2 67
NeustädterStr.16
Egenolf KG 2 75
Bauunternehmen Ober-Gleen
Ehrhardt Sophie Hebamme 3 62
Enders Gerhard 4 70
Kraftfahrer (Ant) Kirchstr.8
Enders Martin Maurer 2 88
Weißbinder Ober-Gleen
Engel Günther Ober-Gleen 4 33
Engel Karl Bonngarten 20 2 07
Engel Karl Sand 22 4 12
Engel Otto Erbenhausen 72 15
Engel Wolfgang 71 90
Heimertshausen
Erb Georg 3 48
Erhardt Paul Baustoffe 3 34
Faust Reinhard Lehrbach 72 83
Faust Werner Lehrbach 3 23
Faustmann Heinz 3 57
Raumausstattung
Fetsing Karl MalerMstr. 4 61
Borngasse 8
Fingerhut Fritz 3 41
MarburgerStr.48
Flauaus Karl 2 19
Braugasse 8
Fleischhauer Elisabeth 71 91
Heimertshausen
Fleischhauer Erich 3 86
FuhrBetr. ErbenhäuserWeg 23
Forstdienststellen

Höhns Karlheinz 4 26
Obergasse 18
Hoffmann Erich Lehrbach 4 60
Hoffmann Hans-Gerd 71 55
MaurerMstr. (Ant) Kirchstr.26
Hofmann Erna 2 35
Hofmann Karl Textilien 3 50
Honig Helmut 3 15
Hübel Alfred 72 41
ZellerGrund 9
Hübner Ernst 4 69
AlsfelderStr.8
Isenberg Erna Lehrbach 2 73
Jacob Maria AmSand 5 4 97
Jacobi Karl Ober-Gleen 3 52
Jacobi Norbert 4 86
Heimertshausen
Jäckel Sebastian 71 97
Heimertshausen
Jahn Otto 71 51
(Ant) Triftweg 4
Jakob Heinrich 2 79
Jakob Willi 2 59
Fernsehen Rundfunk
Jakobi Ernst D. 71 75
Ober-Gleen
Jakobi Herbert Jahnstr. 2 62
Jerouschek Zita 4 08
Landwehrstr.5
Jirusch Josef 71 82
Schachtmeister Ober-Gleen
Jost Anna NeustädterStr.35 3 42
Jugel Irene Kirchberg 5 2 17
Junck Hermann Textil-waren Lehrbach 3 72
Jung Bernhard 71 94
Heimertshausen
Jung Heinrich 72 63
Braugasse 1

Woher kommt Ingo Dunker?   1. Aus Ober-Gleen.

Erich Ebke?   2. _____

Erich Hoffmann?   3. _____

Elisabeth Fleischhauer?   4. _____

Otto Engel?   5. _____

Karl Jacobi?   6. _____

Bernhard Jung?   7. _____

1E

2 Wer sagt was?

2A

S 1 Wie heißt das auf deutsch?

1 _____   6 _____   11 _____

2 _____   7 _____   12 _____

3 _____   8 _____   13 _____

4 _____   9 _____   14 *der Stuhl*

5 _____   10 _____   15 _____

2/3 Was möchten Sie?/Möchten Sie . . . . . ?

S 3 Was kostet das?

Was kostet ein Glas Tee? – *Eine Mark fünfzig.*

1. _____ – _____
2. _____ – _____
3. _____ – _____
4. _____ – _____
5. _____ – _____
6. _____ – _____
7. _____ – _____
8. _____ – _____
9. _____ – _____
10. _____ – _____
11. _____ – _____

Eine Mark fünfzig.

DM 1.50
DM 1.80
DM 3.50
DM 1.00
DM 2.70
DM 2.70   DM 3.80
DM 1.80   DM 1.60
DM 2.80   DM 0.90
DM 2.30

S 4 Wie spät ist es?   **Tageszeit**

| 8.15 | *Es ist acht Uhr fünfzehn / fünfzehn Minuten nach acht / Viertel nach acht.* | *Morgen / Vormittag* |

3.30   1. _____

15.30   2. _____

2.05   3. _____

16.10   4. _____

5.25   5. _____

5 Wieviel Uhr ist es in . . . . . ?

In Frankfurt ist es siebzehn Uhr fünfzig; in Shanghai ist es jetzt null Uhr fünfzig; in San Francisco ist es _____ und in Buenos Aires ist es _____

_____ .

In _____ ist es zwei Uhr fünfzig und in _____ ist es sechzehn Uhr fünfzig.

In Frankfurt ist es . . . . .   *Wieviel Uhr ist es dann in . . . . .*

Frankfurt:	. . . . . Bangkok?	. . . . . Tokio?	. . . . . Honolulu?	. . . . . Rio de Janeiro?
20.30 Uhr	Zwei Uhr drei-Big	vier Uhr dreißig		
23.15 Uhr				
2.55 Uhr				
4.20 Uhr				
9.01 Uhr				
12.00 Uhr				
15.45 Uhr				

2C

Rocko — ein U. L.

	JA	NEIN			JA	NEIN
1. Ein U.L. hat Durst.	☒	☐	**Rocko bestellt .....**			
2. Ein U.L. trinkt Bier.	☐	☐	8. ..... eine Tasse Kaffee.	☐	☐
3. Ein U.L. trinkt keinen Kaffee.	☐	☐	9. ..... ein Glas Tee.	☐	☐
4. Ein U.L. trinkt Ö.L.	☐	☐	10. ..... ein Glas Bier.	☐	☐
5. Ein U.L. hat Hunger.	☐	☐	11. ..... eine Flasche Wein.	☐	☐
6. Ein U.L. ißt Wurst.	☐	☐	12. ..... eine Flasche Milch.	☐	☐
7. Ein U.L. ißt Pommes frites.	☐	☐	13. ..... eine Dose Cola.	☐	☐

2D

S 1 Fragen Sie bitte

Das ist Herr Watanabe.	—	<u>Wer</u> ist das?
Das ist Milch.	—	<u>Was</u> ist das?
Das ist ein Tageslichtprojektor.	—	1. _____
Das ist Käse.	—	2. _____
Das ist Frau Boulden.	—	3. _____
Das ist ein Radiergummi.	—	4. _____

S 2 Ergänzen Sie bitte　　　　　　　　**Antworten Sie bitte**

a) Möchten Sie ein Glas Tee?　　　　　　　— Nein, danke!

　　1. _____ Kännchen Kaffee?　— Ja, bitte!

　　2. _____ Flasche Bier?　　　— _____

　　3. _____ Schinkenbrot?　　 — _____

　　4. _____ Portion Pommes frites? — _____

b) 1. Möchtest du eine Gulaschsuppe?　　　 — _____

　　2. _____ Glas Milch?　　　 — _____

　　3. _____ Füller?　　　　　 — _____

　　4. _____ Bleistift?　　　　 — _____

▶

5. Möchtest du eine Dose Cola?　　　　—　_____

6. _____ Paar Würstchen?　—　_____

7. _____ Zigarre?　　　　—　_____

8. _____ Sprudel?　　　　—　_____

c) 1. Nehmen wir ein Viertel Wein?　　　—　_____

2. _____ Portion Pommes frites?　—　_____

3. _____ Flasche Sprudel?　—　_____

4. _____ Käsebrot?　　　　—　_____

5. _____ Gulaschsuppe?　　—　_____

6. _____ Hamburger?　　　—　_____

3 Ergänzen Sie bitte　　　　Antworten Sie bitte

Das ist _____ .

Wer möchte _____ ?　　_____

Ich esse _____ .

Nimmst du _____ ?　　_____

Ist das _____ ?　　_____

Trinken Sie _____ ?　　_____

Essen wir _____ ?　　_____

Ich nehme _____ .

Hast du _____ ?　　_____

2E

S 1 Deutsches Geld

1.  =    + _____?_____

      5 Mark + 2 Mark + 1 Mark + _____

2. = 10 Mark + _____

     5 Mark + _____

     2 Mark + _____

3. = 20 Mark + _____

     10 Mark + _____

     5 Mark + _____

4. =

500 Mark + _____ +

_____ + _____ + _____ + _____

2 a Was ist das?

Markenbutter = *Butter*   Rindsgulasch = _____

Leberwurst = _____   Bratwurst = _____

Frischmilch = _____   Fruchtjoghurt = _____

Schweinefleisch = _____

S 2 b Frau Bléri geht einkaufen

Sie hat 5 Mark.

Sie kauft: 1 1/2 Pfund Brot   DM _____

            1/2 Pfund Butter   DM _____

            2 Becher Fruchtjoghurt DM _____

                            _____

Die Verkäuferin sagt: "Das macht   DM _____ "

Frau Bléri sagt: "Das ist _____ ! Ich habe _____ 5 Mark!"

S 3 Rechnen Sie bitte mit der Umrechnungstabelle

Sie bekommen für:

1. bfrs. 250,- = DM _____

2. £24,- = DM _____

3. US$40,- = DM _____

4. Ptas. 3.000,- = DM _____

5. dkr. 250,- = DM _____

S 4 Die Bundesrepublik und ihre Handelspartner

a) Export - Import:

EG-Länder

Land:	Export	Import
Belgien/Luxemburg	Nr. 3	Nr. 4
Dänemark		——
England		
Frankreich		
Italien		
Niederlande		

Nicht-EG-Länder:

Land:	Export	Import
Iran	Nr. 11	——
Japan	——	
Libyen	——	
Schweden		
Schweiz		
Österreich		
UdSSR		
USA		

b) Mehr Export - mehr Import:

EG-Länder:

Mehr Export nach ... als Import aus	Mehr Import aus ... als Export nach ...
Frankreich	Italien

Nicht-EG-Länder:

Mehr Export nach ... als Import aus	Mehr Import aus ... als Export nach ...
UdSSR	Libyen

1. ___ist die Hand.___

2. _____

3. _____

4. _____

5. _____

6. _____

7. _____

8. _____

9. _____

10. _____

11. _____

12. _____

13. _____

14. _____

2 Was fehlt Ihnen?

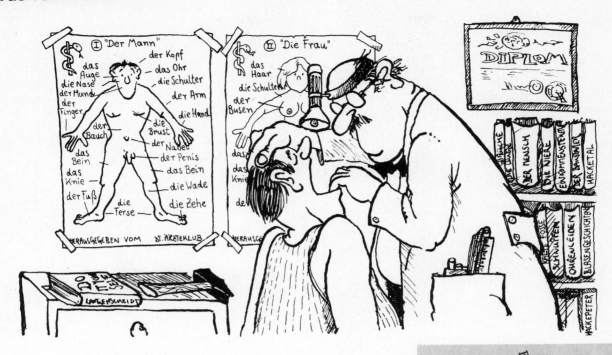

Dr. Meier

_____

_____

_____

_____

_____

_____

_____

_____

Herr Fischer

_____

_____

_____

_____

_____

_____

_____

_____

Was fehlt Ihnen?

Eine Flasche Bier.

Dreißig Zigaretten.

Rauchen Sie?

Trinken Sie?

Mein Bauch tut weh.

Ich habe Hunger und Durst.

Mit Milch und Zucker!

Nein.

Wieviel?

Ja, ein bißchen.

Zeigen Sie mal!

Wein.

Was kostet das?

Das ist zuviel!

Mein Hals tut weh.

Whisky.

Zigaretten.

Was trinken Sie?

Bier.

3 Wer sagt was?

Kommst du mit?

Tut die Brust auch weh?

Ja, wir kommen mit!

Ich komme aus Chicago.

Was fehlt dir?

Tun die Ohren auch weh?

Kommt ihr mit?

Ich heiße Paul.

Meine Nase!

Ja, prima!

Gehen wir in den Dom?

Woher kommst du?

Ich weiß nicht.

Geht ihr ins Museum?

Nein, ich bleibe hier.

Ich brauche einen Whisky.

Komm doch mit!

Ich habe eine Angina.

Mensch, ich habe Hunger!

Mein Kopf tut weh.

Das Wetter ist zu schlecht.

Geht ihr an den Rhein?

Wie spät ist es?

Haben Sie eine Zigarette?

3 a Wer ist das? Was ist das?

3 b Wer macht was? ? **Was ist wie?**

1	Familie Lang und Familie Wolter		a	scheint.
2	Der Tag ist		b	dick und faul.
3	Die Sonne		c	tut weh.
4	Frau Wolter macht		d	Wurst u. Käse, Butter, Milch u. Bier.
5	Sie hat		e	einen Brief.
6	Herr Lang		f	zu Hause.
7	Er schreibt		g	"Das Essen ist fertig!"
8	Herr Wolter küßt		h	Frau Lang.
9	Michael Wolter		i	ist nicht da.
10	Er ist		j	das Essen.
11	Stephan Lang		k	hört Radio.
12	Seine Schwester Susanne		l	spielt Fußball.
13	Gabi Wolter		m	schläft.
14	Sie ist		n	sehr schön und warm.
15	Ihr Kopf		o	arbeitet.
16	Frau Wolter ruft:		p	machen Picknick.

S 1 Ergänzen und antworten Sie bitte

Komm **t** ihr aus Frankreich? — *Ja, wir kommen aus Frankreich.*
Ja, ich komme mit.

1. Komm _____ du mit? —

2. Woher komm _____ sie? — Sie _____ aus Paris.

3. Woher komm _____ er? — Er _____ aus New York.

4. Was trink _____ ihr? — Wir _____

5. Sprech _____ ihr Deutsch? — Ja, _____

6. Hab _____ ihr Hunger? — _____

7. Wie heiß _____ ihr? — _____

8. Geh _____ ihr ins Museum? — _____

9. Tu _____ die Brust weh? — _____

10. Was eß _____ ihr? — _____

11. Hab _____ sie genug Wein? — _____

12. Wie is _____ das Wetter? — _____

13. S _____ ihr aus Brasilien? — Nein, wir _____

14. S _____ sie aus Amerika? — Nein, sie _____

S 2 Ergänzen Sie bitte

Ich gehe ins Museum. *Geh doch mit!*

Wir gehen ins Museum. *Geht doch mit!*

1. Ich trinke Bier. _____

2. Wir _____ _____

3. Ich mache Picknick. _____

4. _____ _____

5. Ich spiele Fußball. _____

6. _____ _____

3 Fragen Sie bitte

Heute ist Sonntag.   —   Was ist heute?

Familie Lang und Familie Wolter —   (1) Wer macht Picknick?
machen Picknick.   (2) Was machen sie?

1. Frau Wolter macht das Essen. —   (1) _____ ?

                                     (2) _____ ?

2. Sie hat Wurst, Brot und Bier. —   (1) _____ ?

                                     (2) _____ ?

3. Herr Lang arbeitet. —   _____ ?

4. Er schreibt einen Brief. —   (1) _____ ?

                                     (2) _____ ?

5. Herr Wolter küßt Frau Lang. —   _____ ?

4 Fragen Sie bitte

Ich spiele mit.   *Spielen Sie auch mit* _____ ?

1. Ich komme mit. _____ ?

2. Ich trinke Wein. _____ ?

3. Ich esse ein Schinkenbrot. _____ ?

4. Ich gehe in den Dom. _____ ?

5. Ich gehe mit. _____ ?

6. Ich komme aus Nigeria. _____ ?

7. Ich spreche ein bißchen Deutsch. _____ ?

8. Ich bin krank. _____ ?

9. Ich habe Durst. _____ ?

S 5 Ergänzen Sie bitte

Bierglas, Weinflasche, Kaffeetasse, Coladose, Teekännchen, Radiergummi, Bleistift, Bild, Buch

Rocko ist ein U.L. Aber auch er hat einen Kopf, zwei Aug _____, zwei Ohr _____,

ein _____ Mund und ein _____ Nase. Er hat zwei Arm _____, zwei Händ _____, zwei

Bein _____ und zwei Füß _____. Er hat auch ein _____ Brust und ein _____ Bauch.

und Rocko hat Hunger!   Er frißt drei _____,

zehn _____, fünf _____,

drei _____, sieben _____,

zwei _____, _____,

_____, _____

6 Machen Sie Wörter!

Beispiel: Tageslichtprojektor

ar

ball, bei, ber, be, blei, band
brat, brot, brot

chen, cher

del, dung

es, ent

fuß, fie, fee, fla

ge, gen, ~~ges~~, gu, ga

hen, hu, hei

~~jek~~

kä, kom, känn, kaf, kä, ko,
kar, ken, ken

~~licht~~, lasch, land, lam

men, men, mi

neh, nu

~~pro~~, pe, pe

ret

sen, schwe, se, sonn, schmer, sten, ster,
se, stift, sche, sup, se, sche, ßen, sten,
spru, schin

tag, ter, tas, ~~ta~~, ~~tor~~, ta, ton, te, trin,
te, te

wet, wurst

zen, zün, zei, zi

1 Was machen die Deutschen am Wochenende?

	Ges.	Männer	Frauen
	%	%	%
1. Fernsehen	69	69	69
2. Spaziergänge machen	50	44	56
3. Den Tag (Nachmittag) gemütlich zu Hause verbringen	45	37	51
4. Freunde, Verwandte besuchen	45	38	50
5. Zeitung lesen	43	48	39
6. Radio hören	33	32	34
7. Gäste einladen	32	27	36
8. Reparaturen, Sachen in Ordnung bringen	30	38	22
9. Ganz gründlich ausschlafen	29	31	27
10. Illustrierte, Hefte lesen	29	23	34
11. Bücher lesen	29	25	33
12. Mit dem Motorrad, Auto usw. wegfahren	29	36	23
13. Beschäftigung mit Kindern, Spielen mit Kindern	27	24	30
14. Im Garten, auf dem Grundstück arbeiten	26	31	21
15. Basteln, Handarbeiten machen	25	12	36
16. In die Kirche, zum Gottesdienst gehen	23	17	28
17. Am Nachmittag schlafen, behaglich ausruhen	23	21	25
18. Ins Restaurant, Lokal gehen	21	26	18
19. Auf den Friedhof gehen, ein Grab besuchen	19	13	24
20. Zu Sportveranstaltungen gehen	17	29	6
21. Tanzen gehen	17	18	16
22. Karten spielen, Schach spielen	16	22	12
23. Zu Fuß, mit dem Fahrrad, mit dem Boot wandern	16	17	16
24. Briefe schreiben	15	8	20
25. Sport treiben	14	21	7

Was machen die Leute *in Ihrem Land* am Wochenende?

1. _____
2. _____
3. _____
4. _____
5. _____
6. _____
7. _____
8. _____
9. _____
10. _____

Was machen *Sie* am Wochenende?

1. _____
2. _____
3. _____
4. _____
5. _____
6. _____
7. _____
8. _____
9. _____
10. _____

S 2 Wer ist das?

1 Er arbeitet bei Ford und ist noch nicht lange in Deutschland.

2 Sie hat einen Hund. Er heißt Strolchi.

3 Sie ist geschieden und hat einen Sohn.

4 Er spielt am Wochenende Fußball.

5 Ihre Kinder sind 14 und 11 Jahre alt.

6 Sie studiert; er ist Taxifahrer.

7 Sie ist pensioniert. Ihre Freundin ist da.

8 Sie sind verheiratet. Sie haben noch keine Kinder.

Linseisen
Wimmer
Otremba
Petrovich
Henschel
K. Hopfl
Steffel
E. Harre

1–3 Wie wohnen die Deutschen?

Arbeiten Sie mit dem Lexikon, bitte:

	DEUTSCH-ENGLISCH (Langenscheidts Taschenwörterbuch Deutsch-Englisch, 6. Neubearbeitung 1978)	DEUTSCH – IHRE SPRACHE Lexikon:
Haus *das ~*	1. house, 2. home	
Block	block (of flats)	
Stadt	1. town, 2. city	
Reihe	1. row, 2. line, 3. file	
Siedlung	1. settlement, 2. estate	
Arbeiter	1. worker, 2. workman	
Heim	1. home, 2. hostel	
Wohnung	1. dwelling, 2. lodgings, 3. flat	
Zimmer	room	
Ort	1. place, 2. spot, 3. locality	
Firma	1. firm, 2. company	
Bau	1. building, 2. construction	

4 Wohnen im Reihenhaus

Zorneding am Daxenberg
Die Wohnanlage vor den Toren Münchens mit hohem Freizeitwert, vielseitigen Einkaufsmöglichkeiten im zentralgelegenen Fußgängerbereich und sehr guten Verkehrsverbindungen (z. B. S-Bahn). Hier entsteht zur Zeit ein neuer Bauabschnitt:

Terrassenhäuser Typ T
148 qm Wfl., 3. Geschoß auch nutzbar als getrennter Wohnbereich. Ab DM 322 600,–.

Reihenhäuser Typ C
ca. 138 qm Wohnfläche (Nfl. ca. 191 qm) in 3 Geschossen.
Ab DM 310 800,–.

Seit 40 Jahren Qualität.
SÜDHAUSBAU
Görresstr. 2, 8000 München 40, Tel. 089/37 37 01

Eine Siedlung in Zorneding, nicht weit von München. Man kann am Wochenende viel machen. Man kann gut einkaufen. Die Geschäfte sind nicht weit weg. Es gibt dort keine Autos. Man kann sehr gut nach München kommen (mit der S-Bahn).

Jetzt werden gebaut:

Terrassenhäuser Typ T,
Reihenhäuser Typ C.

S *Was ist was? Arbeiten Sie mit dem Lexikon, bitte:*

1	Wohnanlage	a	nicht weit von München
2	vor den Toren Münchens	b	Siedlung
3	hoher Freizeitwert	c	Man kann am Wochenende viel machen.
4	vielseitige Einkaufsmöglichkeiten	d	Man kann sehr gut nach München kommen (mit der S-Bahn).
5	zentral gelegener Fußgängerbereich	e	Die Geschäfte sind nicht weit weg. Es gibt dort keine Autos.
6	sehr gute Verkehrsverbindungen	f	Man kann gut einkaufen.
7	zur Zeit	g	Jetzt werden gebaut:
8	neuer Bauabschnitt	h	jetzt

Was sagen Sie?

1. Herr Karlsson sagt: "Trinken Sie auch
ein Bier?"

     _____

   Sie möchten <u>kein</u> Bier: _____

2. Madeleine fragt: "Kommst du mit ins
Museum?"

   a) Sie kommen mit: (1) _____

   b) Sie kommen <u>nicht</u> mit: (2) _____

3. Peter sagt: "Hallo, Nancy,
wie geht's?"

   a) Sie heißen <u>nicht</u> Nancy: (1) _____

   b) Sie haben Kopfschmerzen: (2) _____

4. Eine Frau sagt: "Verzeihung, wie
spät ist es?"

     _____

   Sie haben keine Uhr: _____

5. Herr Watanabe sagt:
"Watanabe, Japan."

   a) Sie verstehen nicht: (1) _____

   b) Sie heißen auch Watanabe: (2) _____

6. Herr Bolte fragt:
"Was trinkt Rocko?"

     _____

   Sie sagen: _____

S **A** Wörter: Machen Sie ein Kreuz ⊠

1. Wie ..... es Ihnen?

a	trinkt
b	ist
c	kommt
d	geht

2. Woher ..... Sie?

a	sprechen
b	nehmen
c	kommen
d	heißen

3. Sie ..... aber gut Deutsch!

a	gehen
b	sprechen
c	kommen
d	trinken

4. Guten Tag, ich ..... Kunz.

a	komme
b	trinke
c	spreche
d	heiße

5. Wie ..... Sie? - Fischer.

a	sind
b	sprechen
c	heißen
d	gehen

6. ..... Sie eine Tasse Kaffee?

a	Möchten
b	Rauchen
c	Essen
d	Fehlen

7. Dr. Müller: "Was ..... Ihnen?"

a	geht
b	fehlt
c	weiß
d	möchte

8. "Wir gehen ins Museum." - "Ich ..... mit."

a	komme
b	treffe
c	bleibe
d	rauche

9. Was ..... das? - Eine Mark achtzig.

a	heißt
b	tut
c	kostet
d	hat

10. " ..... die Brust auch weh?"

a	fehlt
b	geht
c	ist
d	tut

11. "Haben Sie die ..... schon lange?" - "Nein, erst 3 Tage."

a	Husten
b	Hals
c	Schmerzen
d	Ohren

12. "Trinken Sie auch ein Bier?" - "Ja, ich trinke ..... ein Bier."

a	gern
b	danke
c	leider
d	lieber

▶

13. "Wie geht es Ihnen?" —
    "Ganz ....., danke."

a	es geht
b	leider nicht
c	ein bißchen
d	gut

14. "Eine Tasse Kaffee?" —
    "Nein, ... Tee, bitte."

a	leider
b	auch
c	gern
d	lieber

15. " ..... ist das?" - "Frau Bléri."

a	Wer
b	Woher
c	Was
d	Wie

B Grammatik: Machen Sie ein Kreuz

⊠

1. Verzeihung, wie ..... Ihr Name?

a	bist
b	sein
c	sind
d	ist

2. Wie ..... das auf deutsch?

a	heiße
b	heißen
c	heißt
d	heiß

3. ..... du auch Französisch?

a	spricht
b	sprichst
c	sprechen
d	spreche

4. ..... du auch aus Berlin?

a	Bist
b	Ist
c	Sind
d	Sein

5. ..... Bier, bitte!

a	eine
b	einen
c	eins
d	ein

6. Möchten Sie ..... Tasse Tee?

a	ein
b	eine
c	einen
d	———

7. Das ist ..... Füller.

a	eine
b	ein
c	eins
d	einen

8. Nur mit ..... Zucker, bitte!

a	ein
b	———
c	einen
d	eine

9. Möchten Sie ..... Stuhl?

a	einen
b	eins
c	eine
d	ein

10. Ist das ..... Kaffee?

a	eine
b	einen
c	—
d	eins

S C Orthographie: Schreiben Sie bitte die Wörter

Beispiel: Guten Abe (0) ! ————————————➤

Gu (1) en Abend, Herr Santos! Wie g (2) t es Ihnen?

Gan (3) gu....., danke! Und wie g.....t es Ihnen, Herr Klein?

Au (4) h gu....., danke. Das is (5) Frau Bührle aus München.

Fre (6) t mich, Frau B--? Verzeihung, wie schr (7) bt man das?

B-ü-h-r-l-e.

Noch einm (8) l, bitte!

B-ü-h-r-l-e. Sind Sie aus Fran (9) reich, Herr Santos?

Nein, aus Bra (10) ilien. Was (11) rinken Sie?

Cola.

Ich ne (12) me 1 (13) ber ein Bier.

Spre (14) en Sie auch Franz (15) ösisch?

Nein 1 (16) ider nicht. Aber ich spre.....e Englis (17) .

Woher in Brasilien sin (18) Sie?

Aus Rio.

0	*Abend*
1	
2	
3	
4	
5	
6	
7	
8	
9	
10	
11	
12	
13	
14	
15	
16	
17	
18	

S D Lesen und Verstehen: Machen Sie ein Kreuz ⊠

Familie Wolter und Familie Lang machen Picknick:

		JA +	NEIN —
Beispiel:	Das Wetter ist schön.	✗	
1.	Es ist Montag.		
2.	Frau Lang macht das Essen		
3.	Herr Lang arbeitet.		
4.	Herr Wolter schläft.		
5.	Sie essen Wurst, Käse, Butter, Eier und Brot.		
6.	Sie trinken Cola.		
7.	Susanne ist krank.		
8.	Gabi und Stephan spielen Fußball.		
9.	Susanne ist zu Hause und hört Radio.		
10.	Ihr Hals tut weh.		

E Sprechen: Was sagen Sie? — Machen Sie ein Kreuz

1. "Wie heißen Sie?"
   - a Das ist Herr Karlsson.
   - b Verzeihung.
   - c Karlsson.
   - d Guten Tag, Herr Karlsson.

2. Sie verstehen einen Namen nicht:
   - a Mein Name ist Braun.
   - b Verzeihung, wie ist Ihr Name?
   - c Sprechen Sie Deutsch?
   - d Wer ist das?

3. Herr Braun sagt: "Woher kommen Sie?
   - a Er ist aus Brasilien.
   - b Ich spreche Französisch.
   - c Sie kommt aus Schweden.
   - d Ich komme aus Japan.

4. Sie stellen Herrn Conrad vor:
   - a Das ist Herr Conrad.
   - b Hallo, Herr Conrad.
   - c Verzeihung, wie ist Ihr Name?
   - d Wie geht es Ihnen, Herr Conrad?

5. Sie sind im Café. Sie möchten ein Bier:
   - a Trinken Sie auch ein Bier?
   - b Was nehmen Sie?
   - c Ein Bier, bitte,
   - d Ich trinke lieber Bier.

6. Herr Möller sagt: "Möchten Sie eine Zigarette?"
   Sie möchten keine Zigarette:
   - a Gern, danke.
   - b Ich möchte eine Zigarette.
   - c Nein danke, ich rauche nicht.
   - d Ich habe leider keine Zigarette.

7. Sie möchten ins Restaurant:
   - a Ich habe Hunger.
   - b Ich nehme Kaffee.
   - c Ich nehme lieber ein Käsebrot.
   - d Ein Käsebrot, bitte.

8. "Möchten Sie eine Tasse Tee?"
   Sie möchten keine Tasse Tee:
   - a Das geht nicht.
   - b Das ist zuviel.
   - c Nein, vielen Dank.
   - d Nein, das ist zu teuer.

9. Dr. Kroll: "Haben Sie Schmerzen?"
   - a Ja, sie ist krank.
   - b Ja, mein Hals tut weh.
   - c Ja, prima.
   - d Ja, das ist eine Entzündung.

10. "Kommt ihr mit ins Museum?"
    Sie möchten nicht gehen:
    - a Danke, gern.
    - b Kommt doch mit!
    - c Wir sind schon weg.
    - d Das Wetter ist zu schlecht.

1 Was sagen die Damen und der Herr? — Schreiben Sie bitte

▲ Was <u>tun</u> der Herr und die alte Dame jetzt? Malen Sie bitte.

▼ Und was <u>sagen</u> sie?

Herr: _____

Alte Dame: _____

Herr: _____

Alte Dame: _____

2 Wann.....? – Schreiben Sie bitte

Wann geht die Maschine .....

1. ..... nach Berlin? — Um _____

_____

2. ..... nach Frankfurt? — _____

_____

3. ..... nach Hamburg? — _____

_____

4. ..... nach Stuttgart? — _____

5. ..... nach Hannover? — _____

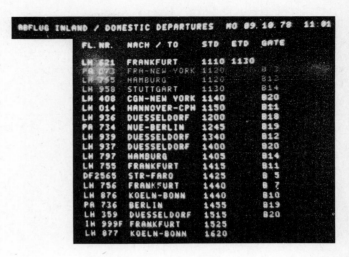

FL. NR.	NACH / TO	STD	ETD	GATE
LH 621	FRANKFURT	1110	1130	
PA 073	FRA-NEW YORK	1120		B 2
LH 755	HAMBURG	1120		B13
LH 958	STUTTGART	1130		B14
LH 408	CGN-NEW YORK	1140		B20
LH 014	HANNOVER-CPH	1150		B11
LH 936	DUESSELDORF	1200		B18
PA 734	NUE-BERLIN	1245		B19
LH 939	DUESSELDORF	1340		B12
LH 937	DUESSELDORF	1400		B20
LH 797	HAMBURG	1405		B14
LH 755	FRANKFURT	1415		B11
DF2565	STR-FARO	1425		B 5
LH 756	FRANKFURT	1440		B 7
LH 876	KOELN-BONN	1440		B10
PA 736	BERLIN	1455		B19
LH 359	DUESSELDORF	1515		B20
LH 999F	FRANKFURT	1525		
LH 877	KOELN-BONN	1620		

ABFLUG INLAND / DOMESTIC DEPARTURES MO 09.10.78 11:01

3 Kalender und Termine. — Schreiben Sie bitte

Wo	Januar					Februar					März					April					Mai					Juni				
	1	2	3	4	5	6	7	8	9		9	10	11	12	13	13	14	15	16	17	18	19	20	21	22	22	23	24	25	26
Mo	1	8	15	22	29		5	12	19	26		5	12	19	26		2	9	16	23	30		7	14	21	28		4	11	18	25
Di	2	9	16	23	30		6	13	20	27		6	13	20	27		3	10	17	24		1	8	15	22	29		5	12	19	26
Mi	3	10	17	24	31		7	14	21	28		7	14	21	28		4	11	18	25		2	9	16	23	30		6	13	20	27
Do	4	11	18	25		1	8	15	22		1	8	15	22	29		5	12	19	26		3	10	17	24	31		7	14	21	28
Fr	5	12	19	26		2	9	16	23		2	9	16	23	30		6	13	20	27		4	11	18	25		1	8	15	22	29
Sa	6	13	20	27		3	10	17	24		3	10	17	24	31		7	14	21	28		5	12	19	26		2	9	16	23	30
So	7	14	21	28		4	11	18	25		4	11	18	25		1	8	15	22	29		6	13	20	27		3	10	17	24	
Wo	Juli					August					September					Oktober					November					Dezember				
	26	27	28	29	30	31	31	32	33	34	35	35	36	37	38	39	40	41	42	43	44	44	45	46	47	48	48	49	50	51	52	1
Mo		2	9	16	23	30		6	13	20	27		3	10	17	24		1	8	15	22	29		5	12	19	26		3	10	17	24	31
Di		3	10	17	24	31		7	14	21	28		4	11	18	25		2	9	16	23	30		6	13	20	27		4	11	18	25
Mi		4	11	18	25		1	8	15	22	29		5	12	19	26		3	10	17	24	31		7	14	21	28		5	12	19	26
Do		5	12	19	26		2	9	16	23	30		6	13	20	27		4	11	18	25		1	8	15	22	29		6	13	20	27
Fr		6	13	20	27		3	10	17	24	31		7	14	21	28		5	12	19	26		2	9	16	23	30		7	14	21	28
Sa		7	14	21	28		4	11	18	25		1	8	15	22	29		6	13	20	27		3	10	17	24		1	8	15	22	29
So	1	8	15	22	29		5	12	19	26		2	9	16	23	30		7	14	21	28		4	11	18	25		2	9	16	23	30

a) Was ist heute?

1. Montag, der _____

2. _____

3. _____

b) Wann fährst du in Urlaub?

1. Am _____

2. _____

3. _____

c) Wie lange bleibst du?

1. Vom _____

2. _____

d) Wann fangen die Osterferien an?

1. In Bayern _____

2. In Hamburg _____

3. In Berlin _____

4. Im Saarland _____

Ferientermine Bundes-republik Deutschland*	Weihnachten	Ostern	Pfingsten	Sommer	Herbst	Weihnachten
Baden-Württemberg	23.12.–12.1.	7.4.–21.4.	5.6.	26.7.– 5.9.	29.10.–30.10.	22.12.–11.1.
Bayern	23.12.– 8.1.	9.4.–21.4.	5.6.–16.6.	1.8.–17.9.	31.10.– 2.11.	21.12.– 8.1.
Berlin	23.12.– 6.1.	2.4.–21.4.	2.6.– 5.6.	19.7.– 1.9.	26.10.– 3.11.	24.12.– 5.1.
Bremen	23.12.– 8.1.	2.4.–21.4.	5.6.– 6.6.	19.7.– 1.9.	29.10.– 3.11.	24.12.– 7.1.
Hamburg	25.12.– 6.1.	5.3.–24.3.	21.5.–26.5.	16.7.–25.8.	22.10.–27.10.	24.12.– 5.1.
Hessen	22.12.–10.1.	31.3.–21.4.	5.6.	12.7.–22.8.	22.10.– 2.11.*	22.12.– 4.1.*
Niedersachsen	22.12.– 6.1.	2.4.–21.4.	2.6.– 5.6.	19.7.–29.8.	24.10.– 3.11.	24.12.– 5.1.
Nordrhein-Westfalen	22.12.– 6.1.	31.3.–21.4.	–	21.6.– 4.8.	5.10.–13.10.	21.12.– 5.1.
Rheinland-Pfalz	23.12.– 6.1.	9.4.–30.4.	2.6.– 5.6.	5.7.–15.8.	25.10.–31.10.	22.12.– 7.1.
Saarland	22.12.– 6.1.	2.4.–23.4.	–	5.7.–18.8.	26.10.– 3.11.	24.12.– 5.1.
Schleswig-Holstein	22.12.– 4.1.	2.4.–23.4.	2.6.	12.7.–22.8.	15.10.–27.10.	22.12.– 5.1.

e) Wie lange dauern die Sommerferien?

1. In Nordrhein-Westfalen _____

2. In Niedersachsen _____

3. In Bremen _____

4. In Baden-Württemberg _____

5. In Schleswig-Holstein _____

6. In Hessen _____

4 Wer sagt was? — Schreiben Sie bitte

1. *Gehört der Koffer* _____

2. _____

3. _____

4. _____

5. _____

5 Wer sagt was? — Schreiben Sie bitte

1. *Verzeihung* _____

   _____

   _____

2. _____

   _____

   _____

3. _____

   _____

4. _____

   _____

6 Wie heißt das auf deutsch?

Arbeiten Sie bitte mit dem Lexikon:

① *das Glas*
② _____
③ _____
④ _____
⑤ _____
⑥ _____

⑦ _____
⑧ _____
⑨ _____
⑩ _____
⑪ _____
⑫ _____

⑬ _____
⑭ _____
⑮ _____
⑯ _____
⑰ _____
⑱ _____

⑲ _____
⑳ _____
㉑ _____
㉒ _____
㉓ _____
㉔ _____

5C

S 1/2 a Schreiben Sie das Datum, bitte

Beispiel:

1.1.1980: (1) Heute <u>ist</u> <u>der erste</u> Januar neunzehnhundertachtzig.

(2) Heute <u>haben</u> wir <u>den ersten</u> Januar neunzehnhundertachtzig.

1.   11.12.1989: _____

2.   13.3.1982: _____

3.   31.8.1981: _____

4.   20.6.1982: _____

5.   17.2.1985: _____

6.   16.9.1980: _____

7.   3.5.1982: _____

8.   8.10.1983: _____

9.   25.4.1986: _____

10.   7.7.1984: _____

11.   12.11.1987: _____

S 1/2 b Herr Riad hat "Fieber". — Ergänzen Sie bitte

Herr Riad hat am 30. Juli Examen. Heute ist Montag, der 29. Juli. Herr Riad _____

Angst. Sein Kopf tut weh. "Ich habe _____!", sagt Herr Riad.

Er _____ den Arzt an. Er _____ einen Termin. Die

_____ sucht einen Termin. " _____

Sie das Fieber schon _____ ?" fragt die Sprechstundenhilfe. "Nein, erst

seit _____ früh", antwortet Herr Riad. "Gut, dann _____

Sie bitte morgen, 10 Uhr!" - "Nein, das _____ nicht! Ich _____ heute

noch kommen!" ruft Herr Riad. "Ich habe sehr _____ Schmerzen!" - Die Sprech-

stundenhilfe sagt: "Moment mal, also dann heute, _____, 17 Uhr 30."

- "Vielen _____ ", sagt Herr Riad.

Ü 3 Wer tut was? Was ist wie?

1	Monika und Max	→	a	haben eine neue Vierzimmerwohnung.
2	Die Wohnung		b	sind zu Besuch.
3	Herr und Frau Lang		c	hat vier Zimmer.
4	Herr und Frau Kurz		d	ist sehr gemütlich.
5	Das Wohnzimmer		e	gefällt die neue Wohnung ganz gut.
6	Die Sessel		f	hat noch keine Spülmaschine.
7	Frau Kurz		g	ist klein.
8	Das Arbeitszimmer		h	sind neu.
9	Herrn und Frau Lang		i	zeigen dem Besuch ihre neue Wohnung.
10	Frau Lang		j	gefallen die neuen Sessel nicht.

Ü 1 Antworten Sie bitte

Wer ist das? (Herr Fischer) — *Das ist Herr Fischer.*

1. Was ist das? (eine Lampe) — _____

2. Wie ist das Wetter? (schlecht) — _____

3. Wo ist mein Platz? (Reihe 5) — *Ihr* _____

4. Wie ist Ihr Name? — _____

5. Woher kommen Sie? — _____

6. Was suchst du? (mein..... Schlüssel) — _____

7. Wen fragen wir? (d..... Lehrer) — _____

8. Wieviel Geld hast du? (ein..... Mark) — _____

9. Wem gehört die Tasche? (Frau Bauer) — _____

10. Wie gefällt dir mein Zimmer? — _____

11. Was ist heute? (1.4.19.....) — _____

12. Wann kommt ihr? (19.30) — _____

13. Wie lange bleibst du? (2 Stunde.....) — _____

14. Wie spät ist es? (17.59) — _____

S 2 Antworten Sie bitte

Suchst du <u>mich</u>?	—	Nein, dich nicht!
Suchst du <u>uns</u>?	—	Nein, euch nicht!
Hilfst du <u>mir</u>?	—	Nein, dir nicht!
Hilfst du <u>uns</u>?	—	Nein, euch nicht!

1. Sucht ihr <u>mich</u>? — _____
2. Helft ihr <u>uns</u>? — _____
3. Helft ihr <u>mir</u>? — _____
4. Sucht ihr <u>uns</u>? — _____
5. Gefalle ich <u>dir</u> auch? — _____
6. Gefalle ich <u>euch</u> auch? — _____
7. Gefallen wir <u>euch</u> auch? — _____
8. Gefallen wir <u>dir</u> auch? — _____
9. Fragst du <u>mich</u>? — _____
10. Fragst du <u>uns</u>? — _____
11. Fragt ihr <u>uns</u>? — _____
12. Fragt ihr <u>mich</u>? — _____
13. Gehört das <u>euch</u>? — _____
14. Gehört das <u>dir</u>? — _____

S 3 Ergänzen Sie bitte

Der Koffer gehört Peter und Madeleine.	Er gehört <u>ihnen</u>.
Der Koffer gehört Peter.	Er gehört <u>ihm</u>.
Der Koffer gehört Madeleine.	Er gehört <u>ihr</u>.

1. Die Tasche gehört Nancy. _____
2. Die Tasche gehört Nancy und Max. _____
3. Die Tasche gehört Max. _____
4. Das Gepäck gehört Frau Boulden und
   Herrn Fischer. _____

5. Das Gepäck gehört Frau Bléri.   _____

6. Das Geld gehört Leo Santos.   _____

7. Das Geld gehört Fernando.   _____

8. Die Koffer gehören Herrn und   _____
   Frau Wolter.

4 Fragen Sie bitte

Ich suche Peter / Madeleine /   —   Wen suchst du / suchen Sie?
Peter und Madeleine.

Ich brauche den Schlüssel /   —   Was brauchst du / brauchen Sie?
die Schlüssel.

Das Geld gehört Peter / Madeleine /   —   Wem gehört das Geld?
Peter und Madeleine.

1. Die Tasche gehört Frau Bléri.   —   _____

2. Ich suche Madeleine.   —   _____

3. Ich suche Max und Mustafa.   —   _____

4. Die Karte gehört Herrn Fischer.   —   _____

5. Das Buch gehört Fernando.   —   _____

6. Wir suchen Nancy und Leo.   —   _____

7. Wir suchen den Dom.   —   _____

8. Ich brauche einen Bleistift.   —   _____

9. Die Zigaretten gehören Max.   —   _____

10. Wir brauchen Deutschbücher.   —   _____

5D

S 5 Antworten Sie bitte

Gehört der Koffer ihm / ihr / ihnen? — Ja, das ist sein / ihr / ihr Koffer.

1. Gehört die Tasche ihr? — _____

2. Gehört das Gepäck ihnen? — _____

3. Gehört die Wohnung ihnen? — _____

4. Gehört das Buch ihr? — _____

5. Gehört das Bild ihm? — _____

6. Gehört der Platz ihr? — _____

7. Gehört der Schlüssel ihm? — _____

8. Gehört das Zimmer ihr? — _____

Sind das deine Bücher? — Nein, das sind nicht meine.

9. Sind das eure Bücher? — _____

10. Sind das eure Koffer? — _____

11. Sind das deine Kinder? — _____

12. Sind das deine Schlüssel? — _____

13. Sind das eure Taschen? — _____

14. Sind das deine Zigaretten? — _____

15. Sind das eure Gläser? — _____

16. Sind das eure Karten? — _____

S 6 Ergänzen Sie bitte

Ist das *eure* Wohnung?

1. Suchst du d _____ Buch?

2. Hier sind I _____ Zigaretten.

3. Gefällt euch u _____ Haus?

4. Hast du m _____ Schlüssel?

5. Das ist s _____ Bier!

6. Sind das e _____ Kinder?

7. Ist das d _____ Arbeitsplatz?

8. Herr Lang küßt s _____ Frau.

9. Das sind i _____ Plätze!

40

7 Fragen Sie bitte

Mein Name ist <u>Jablonski</u>.   <u>Wie</u> ist Ihr Name?

1. Ich heiße <u>Fernando</u>.   — _____

2. Das ist <u>Herr Tulla</u>.   — _____

3. Das ist <u>ein Tonband</u>.   — _____

4. Das Wetter ist <u>schön</u>.   — _____

5. Das Gepäck gehört <u>uns</u>.   — _____

6. Susi ist <u>zu Hause</u>.   — _____

7. Es ist <u>zwölf Uhr</u>.   — _____

8. Ich möchte <u>eine Cola</u>.   — _____

9. Wir brauchen <u>einen Koffer</u>.   — _____

10. Herr Lang küßt <u>Frau Wolter</u>. — _____

11. <u>Frau Lang</u> macht das Essen.   — _____

12. Leo Santos kommt <u>aus Brasilien</u>. — _____

13. Das Wohnzimmer gefällt mir <u>gut</u>. — _____

14. Die Schlüssel gehören <u>mir</u>.   — _____

15. Ich habe <u>nur eine Mark</u>.   — _____

16. Heute ist <u>der 31.7.</u>   — _____

17. Das kostet <u>173,99 DM</u>.   — _____

18. Ich suche <u>Madeleine</u>.   — _____

19. Der Flug dauert <u>90 Minuten</u>. — _____

20. Die Ferien gehen <u>vom 23.12. - 8.1.</u> — _____

21. Ich bin <u>am 2.5.</u> wieder hier. — _____

22. Wir fahren <u>am 7.8.</u> in Urlaub. — _____

23. Wir bleiben <u>bis zum 28.8.</u>   — _____

24. Wir kommen <u>nächste Woche</u>.   — _____

25. Wir bleiben <u>eine Woche</u>.   — _____

1 a Schreiben Sie etwas über München

1 b Sind Sie ein echter Münchner?

Machen Sie diesen Test - machen Sie immer nur ein Kreuz

	x	Punkte

1.

1. Wer ist das? a) Ein Münchner. — 10
b) Das bin ich! — 0
c) Ein U.L. — 7

2.

2. Was ist das? a) Eine Lederhose. — 10
b) Eine Wurst. — 1
c) Ich weiß nicht. — 0

3.

3. Wer ist das? a) Ein Freund und ich. — 7
b) Zwei U.L. — 0
c) Oktoberfestgäste. — 10

4.

4. Was ist das? a) Ein Fußball. — 6
b) Eine Weißwurst. — 10
c) Ein Hamburger. — 0

5. Wer ist das? a) Das bin ich! — 7
b) Ein Münchener im Fasching. — 10
c) Ich weiß nicht. — 0

5.

= ..... Punkte

Haben Sie	50 Punkte? → Jaaa!!! Sie sind ein echter Münchner!
Haben Sie	49 - 0 Punkte? → Noch einmal, bitte! Nur bei 10 ein x machen!

S 2 Was die Deutschen trinken

Machen Sie ein Kreuz: ☐ ☒   *Und so ist es richtig:*

JA NEIN

1. Herr Hirnbeiß trinkt Milch. ☐ ☐   *Herr Hirnbeiß trinkt Bier.*

2. Die Deutschen trinken am Tag
   einen halben Liter Kaffee. ☐ ☐

3. Bier ist das "Nationalgetränk". ☐ ☐

4. Tee ist ein typisch deutsches
   Getränk. ☐ ☐

5. Die Deutschen trinken ungefähr
   siebenmal soviel Bier wie Wein. ☐ ☐

6. Jeder Deutsche trinkt im Jahr
   5,7 Liter Spirituosen. ☐ ☐

7. In der Milch ist Alkohol. ☐ ☐

8. Die Deutschen trinken Sekt nur
   an besonderen Tagen. ☐ ☐

3 "Der Griff zur Flasche"

Was sagen diese Herren? -
Schreiben Sie bitte:

1 a Was ist das?

der Mantel

① die Nase   ⑧ _____

② _____   ⑨ _____

③ _____   ⑩ _____

④ _____   ⑪ _____

⑤ _____   ⑫ _____

⑥ _____   ⑬ _____

⑦ _____   ⑭ _____

b Wer sagt was?

Verkäufer:	Eva:	Jossip:
"	"	"

Verkäufer:	Eva:	Jossip:
"	"	"

2 Was sagen diese Herren? — Schreiben Sie bitte

Herr 1: _____

Herr 2: _____

_____

_____

_____

_____

_____

_____

_____

_____

_____

_____

_____

Herr 1: _____

Herr 2: _____

_____

_____

_____

_____

_____

_____

_____

_____

_____

_____

_____

+ Wie gefällt Ihnen mein Hut? + Ist das Ihr Bild? + Das stimmt. + Ausgezeichnet! + Scheußlich! + Was ist das denn? + Wie findest du das? + Eine Katastrophe! + Toll! + Wie geht's deiner Frau? + Was hast du denn? + Das finde ich auch. + Nicht so gut. + Verstehst du das? + Da oben ist der Ball. + Das ist Müller. + Was kostet das? + Das ist doch kein Telefon! + Wie bitte? + So teuer? + Hast du eine Zigarette? + Bier. + Wirklich? + So? + Das ist doch kein Telefon!

3 a Welcher Text = welches Bild?

① Ein Herr sucht seinen Mantel; der Mantel ist dunkelblau, ganz neu, Größe 28.

② Eine Dame möchte ihr Gepäck; sie hat eine große braune Tasche und einen kleinen schwarzen Koffer. Aber diese Tasche da gehört ihr nicht!

③ Eine Dame möchte ein großes Doppelzimmer mit Bad; sie reist allein.

④ Ein Herr trinkt ein Bier; das Bier schmeckt ihm nicht, es ist schlecht; der Herr ist wütend.

⑤ Eine Dame braucht einen großen grünen Koffer und eine große grüne Tasche. Sie hat nur 50 Mark.

⑥ Eine Dame möchte ein kleines Zimmer. Sie hat kein Geld.

A = _____

B = _____

C = _____

b Was sagen die Damen und Herren? — Schreiben Sie bitte

6A

4 Heiratsanzeige. — Was sagen der Herr und die Dame?

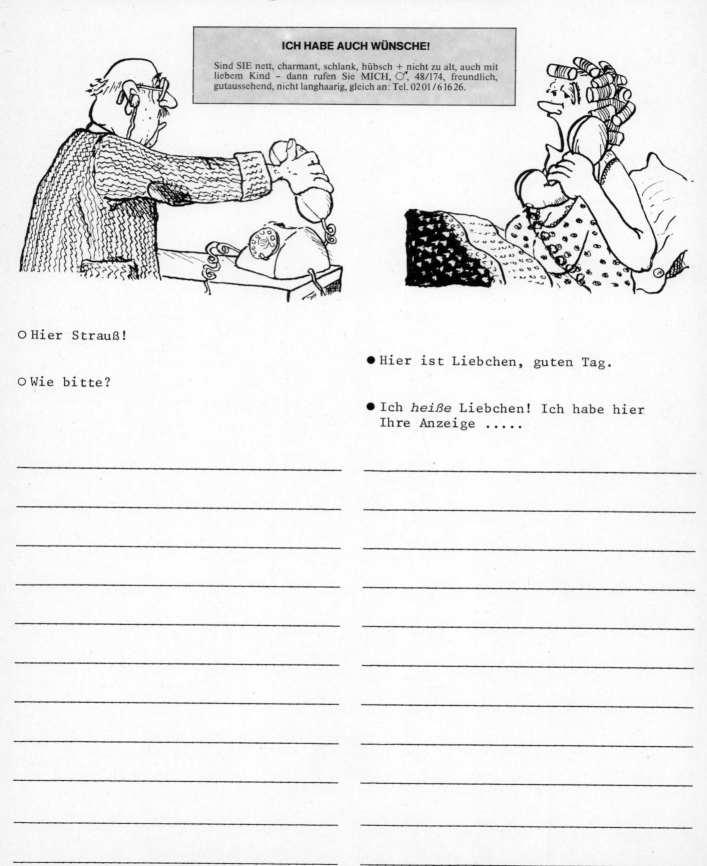

ICH HABE AUCH WÜNSCHE!

Sind SIE nett, charmant, schlank, hübsch + nicht zu alt, auch mit liebem Kind – dann rufen Sie MICH, ♂, 48/174, freundlich, gutaussehend, nicht langhaarig, gleich an: Tel. 0201/61626.

○ Hier Strauß!

○ Wie bitte?

● Hier ist Liebchen, guten Tag.

● Ich *heiße* Liebchen! Ich habe hier Ihre Anzeige .....

Was ist richtig ? — Machen Sie ein Kreuz

		JA	NEIN
	Herr Pinneberg ist Verkäufer in einem Kaufhaus.		✕
1.	Der Student möchte eine blaue Weste.		
2.	In der Boutique gibt es keine Westen.		
3.	Der Student zieht den Pullunder an.		
4.	Die Weste ist nicht sehr teuer.		
5.	Der Pullunder kostet neunundsiebzig Mark.		
6.	Der Student sieht mit der Weste hübsch aus.		
7.	Der Student kauft den Pullunder.		

1 Ergänzen Sie bitte

Was gefällt dir besser?

Das braun*e oder das* grün*e* Sakko?

1. _____ rot_____ blau_____ Kleid?
2. _____ grün_____ braun_____ Tasche?
3. _____ groß_____ klein_____ Bild?
4. _____ schwarz_____ weiß_____ Hut?
5. _____ grau_____ braun_____ Hose?
6. _____ gelb_____ rot_____ Pullover?
7. _____ hell_____ dunkl_____ Mantel?
8. _____ orang_____ beig_____ Kleid?

Was gefällt Ihnen besser?

Die grau*en oder die* schwarz*en* Blusen?

9. _____ groß_____ klein_____ Füller?
10. _____ alt_____ modern_____ Bilder?
11. _____ dunkl_____ hell_____ Möbel?
12. _____ klein_____ groß_____ Hüte?

6D

S 2 Ergänzen und antworten Sie bitte

Wie gefällt dir   mein neuer Hut?   — Dein   alter   gefällt mir besser.

1. _____ meine neue Krawatte? — _____ alt _____

2. _____ mein neues Kleid?   — _____ alt _____

3. _____ euch unsere neue Wohnung? — _____

4. _____ unser neuer Tisch?   — _____

5. _____ unser neues Bad?   — _____

Sind das deine neuen Hüte?   Deine alten gefallen mir aber besser.

6. _____ Krawatten?   _____

7. _____ Kleider?   _____

8. _____ Hosen?   _____

9. _____ Hemden?   _____

S 3 Antworten Sie bitte

Wie finden Sie diesen Pullover?   Den finde ich nicht schlecht, den roten finde ich aber noch besser.

1. Wie finden Sie diesen Rock?   _____

     blau _____

2. Wie finden Sie dieses Kleid?   _____

     lang _____

3. Wie finden Sie diese Tasche?   _____

     schwarz _____

4. Wie finden Sie diesen Mantel?   _____

     blau _____

5. Wie finden Sie dieses Bild?   _____

     modern _____

6. Wie finden Sie diese Wohnung?   _____

     groß _____

4 Ergänzen und antworten Sie bitte

Was möchten Sie?
Ein kleines oder ein großes Bier?   — Lieber ein kleines!

1. Einen _____ Hut?   — _____ !

2. Ein _____ Heft?   — _____ !

3. Eine _____ Tasche?   — _____ !

4. Einen _____ Koffer?   — _____ !

5. Eine _____ Wohnung?   — _____ !

6. Ein _____ Bad?   — _____ !

7. Einen _____ Mann?   — _____ !

8. Eine _____ Frau?   — _____ !

5 Ergänzen und antworten Sie bitte

Wie findest du meine blauen Hemden?   Nicht schlecht, aber ich finde
                                             weiße Hemden besser.

1. _____ meine dunkl_____ Krawatten?   _____

                                             hell _____

2. _____ meine lang_____ Kleider?   _____

                                             halblang _____

3. _____ meine grau_____ Hosen?   _____

                                             blau _____

4. _____ meine groß_____ Hüte?   _____

                                             klein _____

5. _____ meine schwarz___ Blusen?   _____

                                             weiß _____

S 6 Ergänzen Sie bitte

1. Wie findest du mein_____ neu_____ Freund?

   Wie gefällt dir _____

   Das ist _____

2. Suchst du dein_____ alt_____ Mantel?

   Hier ist _____

3. Trinkst du ein_____ groß_____ Bier?

   Ich nehm_____ klein_____

4. Ich brauche dein_____ schwarz_____ Mantel.

   Ich habe kein_____!

   Hier ist mein _____

5. Was kostet dein_____ neu_____ Hut?

   Mir gefällt _____

   Ich möchte auch _____

6. Wir möchten ein_____ hell_____ Sakko.

   Hier ist _____

3 Kontakte in Deutschland

Lesen Sie diese Anzeigen (mit Lexikon) und schreiben Sie:

Heiraten weiblich

NRW

Lehrerin, 31, 1,60 m, blond, sportl.-elegant, vielseitig interessiert, u. a.: Kunst, Sprachen, Reisen und gemütl. Zuhause, möchte entsprechenden aufgeschlossenen Partner (ab 1,72 m) kennenlernen. Bildzuschriften bitte unter ZV 7652 an Red., Postfach 10 68 20

Es müßte wieder ein Mann ins Haus! Des Alleinseins müde, suche ich, 35 J., dkl., schlk., gesch. mit Sohn, einen lieben zuverlässigen Partner für ev. spätere Ehe. Bildzuschriften unter Z 657477 an Red.

Lehrerin, 45 J., gesch., herzlich, wünscht Lebenspartner. u. A. 186640 an Red.

Witwe (60), vital, dunkel, schlank, des Alleinseins müde, sucht Ehepartner bis 70 Jahre, in sicheren Verhältn., Raum München. Z 186508 an Red.

Angeblich hübsches Mädchen, 21 J., 170 cm, schlank, wünscht aufgeschlossenen, gutsituierten Herrn (25—35 J.) zwecks sp. Heirat kennenzulernen. Bitte Zuschr. mit Bild (gar. zur.) u. A 186438 an Red.

Akademikerin, 30/170, gesch., Studium in Ungarn, Amerika, Österreich und Deutschland, sucht die Bekanntschaft eines ernsthaften, weltaufgeschlossenen, charakterfesten Mannes, spät. Ehe mögl., Zuschr. unter A 117335 an Red.

Anzeige Nr.	Wie alt? Wie groß?	Aussehen?	Was macht sie/er?	Wie soll der Partner sein?
1	31 1,60 m	blond, sportlich-elegant	Lehrerin. Sprachen, Reisen	aufgeschlossen, Sprachen, Reisen
2				
3				
4				
5				
6				

Heiraten männlich

Unternehmer, Ende Dreißig

184 cm, gut aussehend, Studium, sportliche und kulturelle Ambitionen, jedoch ohne Perfektion, wünscht sich eine charmante, gebildete (Ehe-)Partnerin. Wenn Sie im Alter zwischen 20 und 32 Jahren sind und mich und meinen Text ansprechend finden, dann schreiben Sie mir bitte mit Bild (bestimmt zurück) unter Z 658810 an Red.

Akademiker, Anfang 60/170 cm/70 kg, mit viel Liebe zu den Künsten, den alten Kulturen des Mittelmeerraumes und der Natur, möchte sein weiteres Leben in Gemeinsamkeit und im Austausch der Interessen in Wärme und Güte und Verstehen für Fehler, mit einer entsprechenden Lebensgefährtin im In- oder Ausland verbringen. A 117720 an Red.

Naturwissenschaftler, Dr., 36/183, mit vielseitigen kulturellen Interessen, wünscht sich eine liebenswerte Lebenspartnerin. Bitte Bildzuschriften an Z 657782 an Red.

Beamter im höh. D., Mitte 30/179, kath., etw. Verm., Nichtraucher, sucht Ehe-Partnerin bis 28 aus guter Familie. Gesch. zweckl. Zuschr. unter A 117267 an Red.

Er, 27/173, Nichtraucher, sucht liebes Mädchen (schlank) zur Ehe. Bildzuschr. unter Z 117288 an Red.

Arzt, 50/175, kameradschaftlich, dynamisch, wünscht sich auf diesem Wege eine adäquate Partnerin und Lebensgefährtin, mit der er noch vieles Schöne gemeinsam erleben kann. Zuschr. u. Z 657119 an Red.

Anzeige Nr.	Wie alt? Wie groß?	Aussehen?	Was macht sie/er?	Wie soll der Partner sein?
1				
2				
3				
4				
5				
6				

Schreiben Sie eine Heiratsanzeige:

_____ , _____ von _____ bis _____ alt,

etwa _____ cm _____ , _____ aussehend,

_____ für _____ und spätere _____

_____ . Ich bin _____ ,

_____ , _____ , _____ kg _____

und bitte um _____ Telefon: _____

1 "Komm, steig ein!" — Was sagen Helmut und Josef?

Schreiben Sie bitte:

Helmut:

_____

_____

_____

_____

_____

Josef:

_____

_____

_____

_____

_____

Helmut:

Ich bring dich nach Hause.

_____

_____

Ich will nach Hause!

Josef:

Das kannst du nicht!

Das darfst du nicht!

_____

_____

§ 1 b Was sagen Sie da? — Schreiben Sie bitte

1. Ihr Freund will Sie nach Hause fahren;
   er ist betrunken.

   Sie wollen nicht; Sie wollen
   weitertrinken.

   Sie wollen zu Fuß gehen.

   Sie wollen ein Taxi nehmen.

2. Sie wollen mit dem Zug nach Rom; Sie
   wollen einen Platz im Schlafwagen 🛏,
   nicht umsteigen, um 8 Uhr spätestens
   da sein.

3. Sie sind zu Besuch. Sie möchten
   eine Zigarette rauchen.

4. Ein Freund ruft Sie an; Sie haben
   keine Zeit.

5. Ihre Freundin fragt Sie: "Wie war
   dein Urlaub?"

   (1) Wunderbar, phantastisches Wetter,
   nur Sonne, Hotel sehr gut, Essen
   prima.

   (2) Nicht so gut, schlechtes Wetter,
   fast nur Regen, Zimmer laut, Essen
   scheußlich.
   (a) Das sagen Sie auch.
   (b) Das sagen Sie nicht.

   (a) _____

   (b) _____

S 2 a Wann kann ich nach . . . . . fahren? — Schreiben Sie bitte

1. Paris:

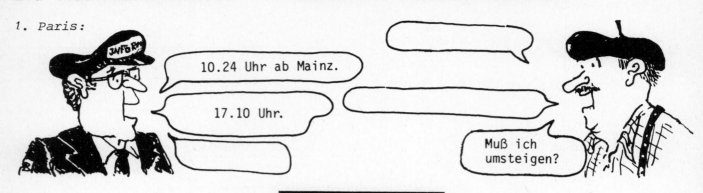

> 10.24 Uhr ab Mainz.

> 17.10 Uhr.

> Muß ich umsteigen?

Von Mainz nach

| 2. Kl. → 62,20 | | **Paris Ost (Paris Est)** und zurück | | | | 2. Kl. ↔ 124,40 |
| 1. Kl. → 95,80 | | | | | | 1. Kl. ↔ 191,60 |

Mainz ab	Zug Nr	an	Bemerkungen	ab	Zug Nr	Mainz an	Bemerkungen
7.52	E3254	14.05	Ⓤ Kaiserslautern D ✕ ❸	7.00	D 259	13.02	✕ ❸
10.24	D 254	17.10	♀	9.15	D 257	15.52	
14.34	D 256	22.05	♀	13.00	D 255	20.01	♀
16.46	D 258	22.54	Ⓐ❸17.18	17.18	D 451	23.47	Ⓡ ✕ Ⓤ Mannheim ⫘
23.22	D 252	7.20	🛏	23.00	D 253	7.07	

über Basel		**Rom (Roma Termini)** und zurück				über Basel
2. Kl. → 114,40						2. Kl. ↔ 213,00
1. Kl. → 186,00						1. Kl. ↔ 348,20

Mainz ab	Zug Nr	an	Bemerkungen	ab	Zug Nr	Mainz an	Bemerkungen
0.50	D 625	20.45	🛏 ♀ Ⓤ München ✕ Ⓡ	❶ 1.38	D 570	19.23	🛏, Ⓤ Basel SBB ⫘
2.14	D 201	19.54	🛏 Ⓡ				
3.48	D 219	23.45	Ⓤ Mannheim, Ⓡ	❶ 1.38	D 570	20.20	Ⓤ Milano 🛏 🛏 ✕
			Ⓤ Genova ❸	➡❶ 4.55	D 572	23.43	Ⓤ Milano 🛏 🛏 ✕
7.34	E2257	❶ 2.26	Ⓡ Ⓤ Worms ✕, Ⓤ Milano				Ⓤ Mannheim
10.20	D 503	❶ 6.09	Ⓤ Milano	8.42	D 280	5.07	🛏 ✕ Ⓤ Würzburg
11.33	D 505	7.32	✕ Ⓤ Basel SBB 🛏	10.10	D 200	3.49	🛏 ✕ 🛏
			Ⓤ Milano 🛏	❷16.30	D 270	8.46	🛏
12.35	⫘7	7.32	🛏 🛏 Ⓤ Milano 🛏	16.50	D 288	12.10	🛏 🛏 Ⓤ München
13.41	D 203	7.25	✕ Ⓡ	18.00	⫘96	11.15	Ⓤ Milano 🛏
17.33	D 517	12.56	✕, Ⓤ München 🛏 🛏	21.40	D 324	16.34	🛏 ✕
17.55	D 507	14.15	✕ Ⓤ Milano,	❶ 0.18	D 710	18.40	Ⓤ Milano 🛏 ✕
			Ⓤ Bologna Ⓡ				
20.56	D 205	18.15	Ⓡ				
21.00	E3719	13.40	Ⓤ Darmstadt D ❷				

| 2. Kl. → 27,20 | | **Straßburg (Strasbourg)** und zurück | | | | 2. Kl. ↔ 54,40 |
| 1. Kl. → 43,80 | | | | | | 1. Kl. ↔ 87,60 |

Mainz ab	Zug Nr	an	Bemerkungen	ab	Zug Nr	Mainz an	Bemerkungen
Ⓐ 6.51	⫘163	9.31	Ⓤ Mannheim, Offenburg	4.30	D 263	8.46	Ⓤ Karlsruhe
7.34	E2257	10.45	Ⓤ Mannheim, Offenburg	8.42	E2961	11.15	Ⓤ Offenb, Mannh ⫘ ✕
8.49	D 501	12.28	Ⓤ Karlsruhe ♀	12.06	D 265	14.50	Ⓤ Karlsruhe
Ⓐ 8.58	⫘111	11.34	✕ Ⓤ Mannheim, Offenburg	Ⓑ12.48	E 751	15.13	Ⓤ Baden-Baden ⫘ ✕
11.33	D 505	14.42	✕ Ⓤ Karlsruhe				Ⓤ Mannheim ✕
13.41	D 203	16.31	✕ Ⓤ Offenburg	12.48	E 751	16.34	Ⓤ Karlsruhe D ♀
14.55	5239	18.45	Ⓤ Darmstadt E	14.59	E3885	17.31	Ⓤ Karlsruhe D ♀
			Ⓤ Karlsruhe D	Ⓑ16.52	E3861	19.23	Ⓤ Offenbg, Mannh ⫘ ✕
17.55	D 507	21.42	✕ Ⓤ Offenburg	16.52	E3861	20.20	Ⓤ Offenburg D ♀,
Ⓓ18.46	⫘11	21.42	✕ Ⓤ Mannheim, Offenburg				Karlsruhe ♀
20.56	D 205	1.43	♀ Ⓤ Karlsruhe	Ⓐ17.59	D 667	21.13	Ⓤ Kar, Mannheim ⫘ ✕
				17.59	D 667	22.19	Ⓤ Offenburg, Karlsruhe
				19.40	E3865	23.43	Ⓤ Offenburg D, Ⓤ Mannh

Ⓐ = ① bis ⑤, nicht 24. XII. bis 1. I., 24. bis 27. III., 15. V.
Ⓑ = täglich außer ⑥, nicht 24. XII., 24. bis 26. III., 14. V.
Ⓒ = ① bis ⑥, nicht 24. XII. bis 1. I., 25. bis 27. III., 15. V.
Ⓓ = nicht 24. bis 31. XII.
❷ = nur Schlaf- und Liegewagen
Ⓤ umsteigen

❶ = Roma Tiburtina
❸ = besonderer Zuschlag erforderlich
❹ = Roma Ostiense
❺ = 24. und 31. XII. an 23.12
Ⓡ = vom 15. bis 24. XII. platzkartenpflichtig
■ = nicht 24., 31. XII.

⫘-, ⫘- und ⫘-Züge 1- Klasse 10,00 DM, ⫘-Züge 2. Klasse 5,00 DM;
⫘- und D-Züge bis 50 km: 3,00 DM

| 🛏 | = Schlafwagen | b | = täglich außer ⑥ |
| 🛏 | = Liegewagen 2. Klasse | c | = ⑥ und † |

<table>
<tr><td>

2. Rom:

Sie: _____

Zugauskunft: _____ 7.34 Uhr.

Sie: _____

Zugauskunft: _____

Sie: _____

Zugauskunft: _____

_____

</td><td>

3. Straßburg:

Sie: _____

Zugauskunft: _____ 16.52 ____

Sie: _____

Zugauskunft: _____

Sie: _____

Zugauskunft: _____

_____

</td></tr>
</table>

2 b Ergänzen Sie bitte

1. Ich muß morgen vormittag nach Paris. Wann kann ich da fahren? -

   Um _____. Dann sind Sie um _____ in Paris. -

   _____ ich umsteigen? - _____. -

   Kann ich auch anders fahren? - Ja, _____

   _____

2. Herr Bauer muß um 15 Uhr in Rom sein.

   Wie kann er fahren? - _____.

   Muß er umsteigen? - _____.

   Wann ist er in Rom? - _____.

   Herr Bauer möchte einen Platz im Schlafwagen ▭.

   Wie kann er fahren? - _____.

   Muß er umsteigen? - _____.

   Wann ist er in Rom? - _____.

3. Herr und Frau Watanabe sind in Mainz. Sie _____ nach Straßburg.

   Sie _____ spätestens um 22 Uhr in Straßburg sein.

   a) Welche Züge können sie nehmen? - _____.

   b) Müssen sie umsteigen? - _____.

4. Max will nach Rom. Er _____ einen Platz im Liegewagen ▭.

   Er _____ nicht erster Klasse fahren. Er _____ nicht umsteigen.

   a) Wann kann er fahren? - _____.

   b) Wann ist er in Rom? - _____.

3 a Was sagen der Mann und die Frau? — Schreiben Sie bitte

Unfreundlich:

Freundlich:

Mann: _____ Mann: _____

Frau: _____ Frau: _____

_____ _____

_____ _____

_____ _____

_____ _____

_____ _____

_____ _____

_____ _____

_____ _____

3 b Was können/dürfen Sie hier (nicht)?

Bildsymbole zu Ihrer Information

	1	2	3	4	5
A	Auskunftsbüro	Geldwechsel	Gepäckaufbewahrung	Gepäck im Schließfach	Gepäckabfertigung
B	Gepäckträger-Rufanlage und Gepäckträger-aufenthaltsraum	Postamt	Auto am Bahnhof	Bus-Haltestelle	Fahrkarten-verkaufsstellen
C	Nichtraucher	Raucher	Taxi-Haltestellen	Zollabfertigungsstellen und Zollbüros in den Bahnhöfen	Sitzplatz für Schwerbeschädigte
D	Heizungsschalter	Lüftungsschalter	Waschraum	Kein Trinkwasser	Nichts hinauswerfen
E	Bahnhofsrestaurant	Bedienung des Wasserflusses durch Fußhebel	Richtungsschild für den Weg zum Speisewagen	Rasiersteckdose	Regelschalter für Lautsprecheranlagen
F	Nicht öffnen, bevor der Zug hält	Lichtschalter	Fernsprecher und Zugfernsprecher	Behälter zur Unterbringung gebrauchter Handtücher in den Waschräumen	Behälter für Abfälle

Schreiben Sie bitte:

A1 _____

A2 _____

A3 _____

A4 _____

A5 _____

B1 _____

B2 _____

B3 _____

B4 _____

B5 _____

C1 _____

C2 _____

C3 _____

C4 _____

C5 _____

D1 _____

D2 _____

D3 _____

D4 _____

D5 _____

E1 _____

E2 _____

E3 _____

E4 _____

E5 _____

F1 _____

F2 _____

F3 _____

F4 _____

F5 _____

3 c Was ist hier verboten?

Lesen Sie diese Geschichte zu Bild ③ :

Eine alte Frau sitzt im Zug. Ein Mann steigt ein. Sein einer Arm ist kaputt. Er raucht. Die Frau sagt: "Können Sie nicht lesen? Hier ist Rauchen verboten!" Der Mann sagt: "Doch, ich kann lesen, aber ich will auch rauchen." Da sagt die Frau: "Hören Sie sofort auf, oder Sie haben zwei kaputte Arme!"

Schreiben Sie bitte auch Geschichten zu den Bildern

① _____

_____

_____

_____

② _____

_____

_____

_____

③ _____

_____

_____

_____

4 "Was war da?" — Was sagen die Frau und der Mann?

1 _____

3 _____

5 _____

2 _____

4 _____

5 "Wo warst du?" — Was sagen die Männer?

1 _____

2 _____

3 _____

4 _____

5 _____

4/5 a Früher und heute. — Schreiben Sie bitte

Was war hier früher?

Was ist da heute?

A1 _____ _____

A2 _____ _____

A3 _____ _____

B1 _____ _____

B2 _____ _____

B3 _____ _____

C1 _____ _____

C2 _____ _____

C3 _____ _____

S b Gestern. — Fragen Sie bitte

1. _____ ? — Doch, ich war gestern zu Hause.

2. _____ ? — Nein, ich hatte keine Zeit.

3. _____ ? — Ja, ich hatte Besuch.

4. _____ ? — Nein, Nancy war nicht da.

5. _____ ? — Ja, ich war krank.

6. _____ ? — Nein, ich war nicht betrunken.

1 Einladung und Antwort

a) Ergänzen Sie bitte:

Liebe Eva, _____ Peter,

am nächsten Samstag _____ eine Freundin _____

Frankreich zu mir. Ich _____ gerne mit Freunden

_____ und _____ dazu herzlich _____

Könnt Ihr um 19.30 Uhr _____ ? Ihr _____

auch bei _____ übernachten, wenn Ihr wollt.

Ruft Ihr _____ an oder schreibt Ihr _____ , wenn _____

kommen könnt?

_____ Grüße

Eure Elke

b) Schreiben Sie an Elke: – Sie können kommen.
    – Sie können nicht kommen.

3 Ist das richtig? — Machen Sie ein Kreuz

		JA	NEIN
1. Herr Veneranda ruft den Herrn im 3. Stock	1.		
2. Der Herr im 3. Stock wirft den Schlüssel nicht herunter.	2.		
3. Herr Veneranda will in das Haus gehen.	3.		
4. Der Herr im 1. Stock will schlafen.	4.		
5. Herr Veneranda versteht nichts und geht.	5.		

S 1 Ergänzen und fragen Sie bitte

Ich will nach Paris. -
Wir wollen nach Paris. -

Wohin wollen Sie?
Wohin wollt ihr?

1. Ich _____ nach London. -   _____ ?

2. Ich _____ nach Bangkok. -   _____ ?

3. Wir _____ nach Honolulu. -   _____ ?

4. Wir _____ nach Tokio. -   _____ ?

5. Ich _____ nach Kopenhagen. -   _____ ?

6. Wir _____ nach Nigeria. -   _____ ?

Ich muß nach Rom. -
Wir müssen nach Rom. -

Wohin mußt du?
Wohin müßt ihr?

7. Wir _____ nach Stockholm. —   _____ ?

8. Ich _____ nach New York. —   _____ ?

9. Wir _____ nach Australien. —   _____ ?

10. Ich _____ nach Hause. —   _____ ?

11. Wir _____ nach Madrid. —   _____ ?

12. Ich _____ nach Athen. —   _____ ?

Ich möchte rauchen.
Wir möchten rauchen.

Darf ich hier rauchen?
Dürfen wir hier rauchen?

13. Wir _____ euch sehen.   _____ ?

14. Ich _____ bei euch schlafen.   _____ ?

15. Ich _____ noch ein Käsebrot   _____ ?

essen.

16. Wir _____ noch ein bißchen

schlafen. _____?

17. Wir _____ noch hierbleiben. _____?

18. Ich _____ dich küssen. _____?

Du sollst mir helfen.   Kannst du das?
Ihr sollt uns helfen.   Könnt ihr das?

19. Ihr _____ nach München kommen. _____?

20. Du _____ nach Amerika fliegen. _____?

21. Du _____ allein fahren. _____?

22. Ihr _____ deutsch sprechen. _____?

23. Du _____ eine Woche lang

hierbleiben. _____?

24. Ihr _____ Skat mitspielen. _____?

S 2 Ergänzen und antworten Sie bitte

Wollt ihr schon nach Hause? –   Wir wollen nicht, wir müssen.

1. _____ ihr heute arbeiten? – _____.

2. _____ du schon aufhören? _____.

3. _____ ihr zehn Stunden arbeiten? – _____.

4. _____ du alle diese Bücher lesen? – _____.

5. _____ du dein Haus verkaufen? – _____.

6. _____ ihr schon wieder wegfahren? – _____.

S 3 Fragen und antworten Sie bitte

Komm doch mit!   Willst du nicht mitkommen? – Ich kann nicht.
Kommt doch mit!   Wollt ihr nicht mitkommen? – Wir können nicht.

1. Fahrt doch mit! _____ ? –

_____ .

2. Hör doch auf! _____ ? –

_____ .

3. Küß mich! _____ ? –

_____ .

4. Fahr nach Hause! _____ ? –

_____ .

5. Eßt noch etwas! _____ ? –

_____ .

6. Ruf mich doch mal an! _____ ? –

_____ .

S 4 Ergänzen Sie bitte

Was wollen Sie hier? –   Ich will hier parken. – Das dürfen Sie nicht.

1. Was _____ ihr hier? – _____ Picknick machen. –

_____ .

2. Was _____ du hier? – _____ schlafen. –

_____ .

3. Was _____ ihr hier? - _____ singen. -

   _____

4. Was _____ Sie hier? - _____ essen. -

   _____ .

5. Was _____ ihr hier? - _____ Wein trinken. -

   _____ .

6. Was _____ Sie hier? - _____ Bücher verkaufen. -

   _____ .

5 Ergänzen und antworten Sie bitte

Wo warst du gestern?   Hattest du keine Zeit? - Ich war krank.

1. Wo _____ ihr gestern?   _____ ? -

   _____ im Kino.

2. Wo _____ Sie letzte Woche?   _____ ? -

   _____ in Berlin.

3. Wo _____ du vorgestern?   _____ ? -

   _____ zu Hause.

4. Wo _____ Sie gestern abend?   _____ ? -

   _____ im Bett.

5. Wo _____ ihr am Samstag?   _____ ? -

   _____ im Theater.

6. Wo _____ ihr vorige Woche?   _____ ? -

   _____ in Rom.

S 2 Gehen Sie bei Rot über die Straße?

Zwei Freunde sprechen. Ordnen Sie die Sätze:

1. "Hier steht: 56 % gehen nachts bei Rot über die Straße!"

A. "Wer sagt das?"

2. "Frauen beachten die Ampel mehr als Männer."

B. "Das finde ich ganz richtig."

3. "Die Polizei."

C. "Das mache ich auch."

4. "Hier: die jungen Leute warten am wenigsten."

D. "Immer die Männer!"

5. "Du?! Wirklich??"

E. "Das glaube ich nicht."

1. "Hier steht: _____

_____

_____

_____

_____

_____

_____

_____

_____

_____

3 Im Bundesgebiet die meisten Kinderunfälle

a) Arbeiten Sie mit dem Lexikon. Fangen Sie mit diesen Wörtern an:

Kinderunfall   1. Unfall = _____

2. Kinder = _____

3. Kinderunfall = _____

Unfallsterblichkeit _____

_____

Sicherheitsbewußtsein _____

_____

_____

Im Bundesgebiet die meisten Kinderunfälle

Reuter, München

Die Bundesrepublik Deutschland hat die höchste Rate bei Kinderunfällen. Von 100 000 Kindern verunglücken 348, ermittelte die Aktion „Das sichere Haus" in München. In Schweden sind es nur 68 Kinder von 100 000. Die Bundesrepublik führt auch die Statistik der Unfallsterblichkeit an. Während in Schweden elf, in Großbritannien 13, in Italien 16 und in der DDR 17 von 100 000 Kindern bei Unfällen ums Leben kommen, sind es im Bundesgebiet 22. Eine höhere Unfallsterblichkeit haben nur Island mit 26, Portugal mit 27 und Finnland mit 28.

Die DSH appellierte deshalb an alle Eltern, mehr Sicherheitsbewußtsein bei ihren Kindern zu wecken.

b) Schreiben Sie bitte:

Kinderunfallsterblichkeit
Von 100 000 Kindern kommen bei Unfällen ums Leben:
28 in _____
27 in _____
26 _____
22 in der _____
17 _____
16 _____
13 _____
11 _____

7E

4 Recht im Alltag. — Lesen und schreiben Sie bitte

a)

Der Verkäufer (Das Geschäft) muß ...	Der Kunde will (muß)	Der Verkäufer (Das Geschäft) will (muß) .....
Der Verkäufer (Das Geschäft) muß eine neue Ware zurücknehmen und das Geld bar zurückgeben, wenn die Ware einen Fehler hat.	Die Ware hat einen Fehler; der Kunde will sie zurückgeben.	
Der Verkäufer muß dem Kunden (Käufer) einen Preisnachlaß (Rabatt) geben, wenn der Kunde die fehlerhafte Ware behalten will.	Die Ware hat einen Fehler; doch der Kunde will sie behalten.	
Der Verkäufer muß dem Kunden eine neue Ware geben, wenn die zuerst gekaufte neue Ware einen Fehler hat. Der Kunde muß dann die erste Ware zurückgeben.	Die Ware hat einen Fehler; der Kunde will eine neue Ware.	
Das Geschäft muß die neue Ware kostenlos reparieren, wenn der Kunde damit einverstanden ist.	Die Ware hat einen Fehler; der Kunde sagt: "Reparieren Sie die Ware!"	

b)

Frau Miller hat einen Rock gekauft. Der Rock hat einen Fehler. Frau Miller geht wieder in das Geschäft und will den Rock zurückgeben. Aber der Verkäufer hat keinen Rock in ihrer Größe mehr. Frau Miller will ihr Geld zurück. Der Verkäufer gibt ihr das Geld nicht zurück, aber er gibt ihr einen Gutschein. Frau Miller ist nicht zufrieden, aber dann kauft sie für den Gutschein einen Hut.

Was meinen Sie? Bitte schreiben Sie:

1 Wie viele Jahre in welchen Schulen? — Schreiben Sie bitte

	Grund-schule	Haupt-schule	Real-schule	Gym-nasium	Fach-ober-schule	Fach-hoch-schule	Berufs-schule	Univer-sität	= Jahre:
ÄRZTIN	4 J.								
KFZ-MECHANIKER	4 J.								
ELEKTRO-INGENIEUR	4 J.								

2 Wie viele Stunden in einem Fach?

a) Bitte schreiben Sie die Zahlen:

	HS	RS	Gym
Deutsch	3 Std.	4 Std.	4 Std.
Mathematik			
Englisch			
Französisch	X		
Latein	X	X	
Erdkunde			
Biologie			
Physik/Chemie			
Geschichte			
Musik/Kunst			
Sport			
Religion			
Sozial-/Gemeinschaftskunde			
Werken (Jungen)			X
Textilarbeit (Mädchen)			X
Hauswirtschaft (Mädchen)			X
Stenographie	X		X
Wahlpflichtkurs		X	X
Arbeitsgemeinschaft		X	

b) In welcher Schule ist das Fach ..... am wichtigsten?

Deutsch: _RS/Gym_

Mathematik: _____

Englisch: _____

Französisch: _____

Latein: _____

Erdkunde: _____

Biologie: _____

Physik/Chemie: _____

Geschichte: _____

Musik/Kunst: _____

Sport: _____

Religion: _____

Sozial-/Gemeinschaftsk.: _____

Werken (J.): _____

Textilarbeit (M.): _____

Hauswirtschaft (M.): _____

Stenographie: _____

c) *Das Schulsystem der Bundesrepublik:*

Schreiben Sie hier bitte die "Schlüsselwörter":

1. Nur wer Abitur hat, kann studieren.

   Fast alle Hauptschüler und viele Realschüler lernen einen Handwerksberuf.

   Hauptschüler ohne Abschluß und Sonderschüler haben sehr schlechte Berufsaussichten.

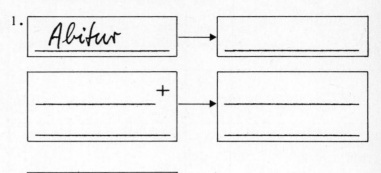

2. Das Schulsystem der Bundesrepublik wirkt sehr früh selektiv (mit 10 Jahren: Gym, RS oder HS).

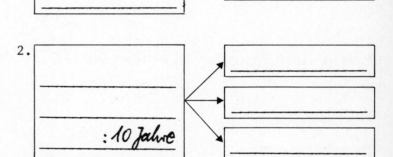

3. In einigen Bundesländern erprobt man die Gesamtschule: Alle Kinder gehen bis zum 15. oder 16. Lebensjahr in dieselbe Schule.

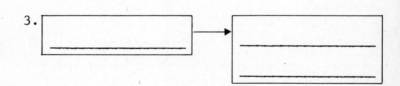

3 Studieren in Deutschland — gleiche Chancen für alle?

a) *Soziale Herkunft der Studenten:*

Bundesrepublik 1976	Ihr Land?
1. Angestellte: 35 %	1. _____
2. Beamte: 25 %	2. _____
3. Selbständige: 24 %	3. _____
4. Arbeiter: 13 %	4. _____
5. Sonstige: 3 %	5. _____

b) *Finanzierung des Studiums:*

Bundesrepublik 1976	Ihr Land?
1. Eltern: 61 %	1. _____
2. Öffentliche Mittel: 39 %	2. _____
3. Arbeiten als Werkstudent: 30 %	3. _____
4. Vermögen, sonstige Mittel: 15%	4. _____

5 a Lebenslauf. — Bitte arbeiten Sie mit dem Lexikon

Fangen Sie mit diesen Wörtern *an!*

Lebenslauf: 1. Lauf = _____ 2. Leben = _____

3. Lebenslauf = _____

Staatsangehörigkeit: _____

_____

Familienstand: _____

_____

Schulbildung: _____

_____

Berufsausbildung: _____

_____

Grundschule: _____

_____

Lehrzeit: _____

_____

Zivildienst: _____

_____

Ausbildungsabschluß: _____

_____

Geburtsdatum: _____

_____

8

5 b Sie bewerben sich um eine neue Stelle

Schreiben Sie bitte Ihren Lebenslauf:

LEBENSLAUF

<u>Angaben zur Person:</u>

Geboren: _____

Staatsangehörigkeit: _____

Familienstand: _____

Religion: _____

Eltern: _____

<u>Schulbildung:</u> _____

_____

Abschluß: _____

<u>Berufsausbildung:</u> _____

_____

Abschluß: _____

_____

Abschluß: _____

_____

Abschluß: _____

_____

Was sagen Sie?

1. Sie sind im Theater.
   Sie haben die Platznummer 126;
   da sitzt ein Herr:

   "_____

   _____

2. Der Mann am Zoll fragt: "Gehört der
   Koffer Ihnen?"
   (1) Es ist <u>nicht</u> Ihr Koffer,
       Sie haben einen schwarzen.
   (2) Es ist Ihr Koffer.

   (1) _____

   _____

   (2) _____

   _____

3. Ihr Freund zeigt Ihnen seine neue
   Wohnung. Sie finden:
   (1) Sie ist schön und groß,
   (2) die Küche ist praktisch,
   (3) die Wohnung ist sehr teuer.
   (4) Die Wohnung gefällt Ihnen
       überhaupt nicht:
       + das sagen Sie auch;
       – das sagen Sie nicht..

   (1) _____

   _____

   (2) _____

   _____

   (3) _____

   _____

   (4) + _____

   – _____

4. Eine Dame fragt Sie: "Welches
   Datum haben wir heute?"
   (1) Sie wissen es nicht.
   (2) Sie wissen es.

   (1) _____

   _____

   (2) _____

   _____

5. Eine Frau möchte ins Kino.
   Ihr Mann möchte zum Fußball.
   (1) Sie sind die Frau.
   (2) Sie sind der Mann.

   (1) _____

   _____

   (2) _____

   _____

6. Sie möchten eine gelbe Bluse.
   Der Verkäufer zeigt Ihnen eine:
   (1) Sie gefällt Ihnen.
   (2) Sie ist Ihnen zu teuer.
   (3) Sie ist gar nicht gelb.
   (4) Sie ist nicht Ihre Größe.

(1) _____

_____

(2) _____

_____

(3) _____

_____

(4) _____

7. Sie sind zu Besuch. Sie möchten
   eine Zigarette rauchen:

" _____

_____

_____

8. Eine Freundin ruft Sie an;
   Sie haben keine Zeit:

" _____

_____

_____

9. Sie wollen mit dem Zug nach Rom.
   Sie wollen nicht umsteigen und
   um 8 Uhr spätestens dort sein:

" _____

_____

_____

10. Ihr Freund will Sie nach Hause
    fahren; er ist betrunken.
    (1) Sie wollen nicht; Sie wollen
    weitertrinken.
    (2) Sie wollen zu Fuß gehen.
    (3) Sie wollen ein Taxi nehmen.
    (4) Sie wollen mit einem anderen
    Freund fahren.

(1) _____

_____

(2) _____

_____

(3) _____

_____

(4) _____

Kontrollaufgaben

A Wörter: Machen Sie ein Kreuz

1. Wie ..... Ihnen das Bild?

a	finden
b	gefällt
c	schmeckt
d	gehört

2. Der Platz hier ist leider .....

a	besetzt
b	frei
c	oben
d	offen

3. Wie lange ..... der Flug?

a	macht
b	fährt
c	dauert
d	bleibt

4. Montag – Dienstag – ..... – Donnerstag

a	Sonntag
b	Samstag
c	Freitag
d	Mittwoch

5. Ich mache im Juli .....

a	Sommer
b	Flug
c	Urlaub
d	Wochen

6. Schön, daß ihr da seid. Herzlich ..... !

a	hübsch
b	willkommen
c	schön
d	wunderbar

7. Der Pullover gefällt mir. Den ..... ich.

a	nehme
b	gefällt
c	habe
d	finde

8. Steig ein! Ich ..... dich nach Hause.

a	will
b	gehe
c	bringe
d	kann

9. ○ Ich möchte nach Berlin.
   ● Erster ..... ?
   ○ Nein, zweiter.

a	Zug
b	Verbindung
c	Fahrkarte
d	Klasse

10. Letzte Woche war Herr Müller .....
    Er hatte eine Grippe.

a	kaputt
b	unhöflich
c	krank
d	spät

B Grammatik: Ergänzen Sie bitte

1. Wie schmeck_____ euch das Essen?

2. Hier dürf_____ Sie nicht rauchen!

3. Ich geh_____ zu Fuß.

4. Kann_____ du mir 10 Mark leihen?

5. 1910 (sein) _____ die Stadt schön.

6. Du (sein) _____ doch erst 50.

7. Du (haben) _____ recht.

8. We_____ gehört das Auto?

9. Was für ein _____ Zimmer ist das?

10. Das ist nicht mein _____ Koffer.

S C Orthographie: Schreiben Sie bitte

Beispiel: Anz(0)ge ⟶ | 0 | *Anzeige* |

Die Anzeige

○ Hier, hör mal, eine Heir(1)tsanzeige:
   "Jung(2)r Mann, 27, blo(3)d, 1 Meter 78 gro(4),
   suc(5)t liebe(6)olle, gutausseh(7)nde,
   intelligen(8)e Frau."
   Ist das nicht(9) für di(10)?

● Was für ein T(11)p ist er, net(12) und schlan(13)?

○ Nein, nein, blo(14)d und gro(15)!

● Na, ich w(16)ß nicht. Der pa(17)t zu dir.
   Ich bin do(18) sch(19)n zu al(20).

1	
2	
3	
4	
5	
6	
7	
8	
9	
10	
11	
12	
13	
14	
15	
16	
17	
18	
19	
20	

S D Lesen und Verstehen: Machen Sie ein Kreuz

1. | Abfahrt 8.44 | Der Zug fährt um:
     | Ankunft 9.22 |

a	acht Uhr fünfzig.
b	neun Uhr zweiundzwanzig.
c	achtzehn Uhr vierundvierzig.
d	acht Uhr vierundvierzig.

2. Der Zug ist um Viertel vor elf
   in Köln. = Er ist in Köln um:

a	14.11 Uhr.
b	11.45 Uhr.
c	10.45 Uhr.
d	11.15 Uhr.

3. Unsere Wohnung ist ganz gut,
   aber sie kostet 900 Mark.

a	Sie ist phantastisch.
b	Sie ist schrecklich.
c	Sie ist teuer.
d	Sie ist ganz neu.

4. "Gutaussehende Dame, langhaariger
   Typ, sucht liebevollen Partner."

a	Die Dame sucht einen gutaussehenden Partner
b	Die Dame ist langhaarig und gutaussehend.
c	Der Partner ist liebevoll und langhaarig.
d	Die Dame sucht einen langhaarigen und gutaussehenden Typ.

5. Früher war da die Altstadt.
   Heute ist da ein Parkplatz.

a	Die Altstadt ist jetzt ein Parkplatz.
b	Die Autos parken in der Altstadt.
c	Der Parkplatz liegt in der Altstadt.
d	Die Stadt hat einen alten Parkplatz.

6. ○ Wann fährst du in Urlaub?
   ● Im Juli.
            Er fährt

a	im Herbst.
b	im Sommer.
c	an Weihnachten.
d	im Winter.

7. ○ Wann fangen die Ferien an?
   ● Nächste Woche.   Die Ferien fangen

a	am Montag an.
b	im Juni an.
c	um 10.30 Uhr an.
d	im Sommer an.

8. "Ich fahre vom zweiten März bis zum
   neunten März in Urlaub."   Er fährt

a	einen Monat in Urlaub.
b	eine Stunde in Urlaub.
c	eine Woche in Urlaub.
d	ein Jahr in Urlaub.

9. ○ Meine Tasche ist weg!
   ● Was für eine Tasche war das?
   ○ Eine kleine schwarze.

a	Sie hat eine kleine schwarze Tasche.
b	Sie sucht ihre Tasche.
c	Sie möchte eine Tasche kaufen.
d	Sie weiß nicht, was eine Tasche ist.

10. "Es gibt leider keine direkte
    Verbindung nach München."

    | a | Sie können nicht fahren. |
    | b | Sie müssen erster Klasse fahren. |
    | c | Sie müssen später fahren. |
    | d | Sie müssen umsteigen. |

11. Im Theater. Herr Kunz kommt
    später und sucht seinen Platz.
    Er sagt: "Verzeihung, das ist
    mein Platz." Eine Dame sagt:
    "Nein, der Platz gehört mir."

    | a | Die Dame sucht ihren Platz. |
    | b | Der Platz ist voll. |
    | c | Der Platz von Herrn Kunz ist besetzt. |
    | d | Herr Kunz hat keine Platzkarte. |

S E Sprechen: Was sagen Sie? — Machen Sie ein Kreuz

          ☒

1. Im Zug. Sie suchen einen Platz:

   - [a] Komm, steig ein!
   - [b] Ist der Platz noch frei?
   - [c] Muß ich umsteigen?
   - [d] Das ist mein Platz.

2. "Gehört der Koffer Ihnen?"

   - [a] Nein, vielen Dank.
   - [b] Nein, euch nicht.
   - [c] Nein, ihnen nicht.
   - [d] Nein, mir nicht.

3. "Gefällt dir unsere Wohnung?"
   Sie gefällt Ihnen *nicht*, aber
   Sie wollen es nicht sagen.

   - [a] Ja, prima.
   - [b] Ja, ganz gut.
   - [c] Phantastisch.
   - [d] Wunderbar.

4. Ein Mann raucht im Krankenhaus.
   Sie sagen:

   - [a] Sie können nicht rauchen.
   - [b] Hier müssen Sie nicht rauchen.
   - [c] Hier dürfen Sie nicht rauchen.
   - [d] Ich habe keine Zigaretten.

5. Sie haben Ihr Auto falsch geparkt.
   Ein Polizist kommt. Was sagen Sie?

   - [a] Da ist doch das Schild.
   - [b] Entschuldigen Sie, bitte.
   - [c] Das tut mir weh!
   - [d] Ich fahre sofort weg.

6. Am Bahnhof. Sie wollen *am Abend*
   mit dem Zug fahren. Auskunft:
   "Hier ist ein Zug um 15.45 Uhr."

   - [a] Nein, ich fahre zweiter.
   - [b] Lieber etwas später.
   - [c] Den nehme ich.
   - [d] Muß ich da umsteigen?

7. Sie waren letzte Woche krank.
   Ein Freund fragt: "Wo warst du
   letzte Woche?"

   - [a] Ich hatte eine Entzündung.
   - [b] Ich hatte Durst.
   - [c] Es tut mir auch leid.
   - [d] Warum bist du so unhöflich?

8. Sie wollen einen Pullover kaufen.
   Sie haben nur 60 Mark. Der
   Verkäufer sagt: "Der hier kostet
   nur 85 Mark." Sie sagen:

   - [a] Nein, leider nicht.
   - [b] Der gefällt mir sehr gut.
   - [c] Der ist mir zu teuer.
   - [d] Können Sie mir Geld leihen?

9. Sie essen mit Ihrer Freundin
   im Restaurant.
   Sie fragen:

   - [a] Na, wie gefällt dir das Essen?
   - [b] Wie findest du das Bier?
   - [c] Wie geht es dir?
   - [d] Wie schmeckt dir das?

10. Ihr Freund sagt: "Ich habe ein
    neues Auto." – Sie fragen:

    - [a] Was ist ein Auto?
    - [b] Was für ein Auto hast du?
    - [c] Wie gefällt dir mein Auto?
    - [d] Was willst du?

1 a Was sagen Sie?

Wo ist bitte .....?

_____
_____
_____
_____

_____
_____
_____

_____
_____
_____

_____
_____
_____

_____
_____
_____

Wie bitte?

Wie bitte? Was sagt ihr? Ich kann euch nicht verstehen! Ohrenschmerzen?

_____
_____

Wie bitte? Das Fußballspiel Deutschland – Italien?

_____
_____

Wie bitte? 3 Kilometer?

_____
_____
_____

Wie bitte? Der Kinderarzt?

_____
_____

Wie bitte? Nach Nigeria?

_____
_____
_____

1 b Wie komme ich zu . . . . .? — Schreiben Sie bitte

Rocko ist auf der Deutzer Brücke.
Sehen Sie ihn? - Ja? - Zeigen Sie ihm den Weg:

(1) Er möchte zum Neumarkt.   (1) _Fahren Sie_ _____

_____

(2) Er möchte zum Habsburgerring. (2) _____

_____

(3) Er möchte zur Brückenstraße. (3) _____

_____

(4) Er möchte in die Breite Straße. (4) _____

_____

(5) Er möchte zur Komödienstraße. (5) _____

_____

2 Schreiben Sie bitte

Wie heißt das auf deutsch?   *Wo steht/sitzt/liegt/hängt .....?*

① der Teppich   Der Teppich liegt auf dem Boden.

② _____   _____

③ _____   _____

④ der Käfig   _____

⑤ der Vogel   _____

⑥ _____   _____

⑦ der Gummibaum   _____

⑧ der Zwerg   _____

⑨ der Blumentopf   _____

⑩ _____   _____

⑪ _____   _____

⑫ _____   _____

⑬ die Fotografie   _____

⑭ das Kissen   _____

⑮ _____   _____

3 Die Bundesrepublik Deutschland ist ein Land, das . . . . .

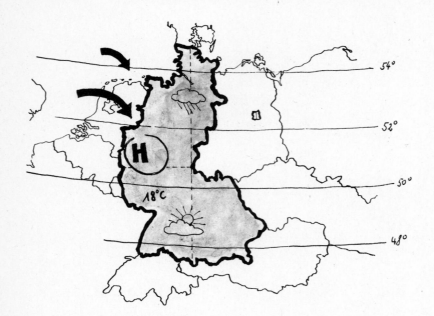

1. Breite: 47°-55° nördlich

2. Klima: So 16-20 °C /
   Wi +1° - -3°C

3. Europa, 9 Nachbarn

4. lang (800), breit (250)

5. Einwohner: 61,5 Millionen

6. Verfassung: demokratisch

7. 10 Bundesländer
   + Berlin (West)

8. Bundesregierung, Landes-
   regierungen, Berliner Senat

Schreiben Sie bitte:

1. Die Bundesrepublik Deutschland
   liegt zwischen dem 47. und 55.
   nördlichen Breitengrad.

2. hat _____

   _____

3. _____

   _____

4. _____

   _____

5. _____

   _____

6. _____

   _____

7. _____

   _____

8. _____

   _____

1. Die Bundesrepublik Deutschland ist
   ein Land, das zwischen dem 47. und 55.
   nördlichen Breitengrad liegt.

2. ein Land, _____

   _____

3. _____

   _____

4. _____

   _____

5. _____

   _____

6. eine Republik, _____

   _____

7. ein Bundesland, _____

   _____

8. ein Staat, _____

   _____

4 Zeigen Sie einem Freund, wie es geht

Nehmen Sie bitte ein Stück Pappe:

Du nimmst bitte ein Stück Pappe:

(Schreiben Sie bitte:)

Zeichnen Sie vier Quadrate (Seitenlänge 3 cm) mitten auf diese Pappe.
Die Quadrate sollen in einer Linie von links nach rechts nebeneinander liegen.

Du zeichnest

Zeichnen Sie je ein Quadrat über und unter das dritte Quadrat von links.
Malen Sie auf diese beiden Quadrate einen blauen Kreis.

Malen Sie auf das erste und dritte Quadrat von links einen roten Kreis und auf das zweite und vierte Quadrat einen grünen Kreis.

Jetzt schneiden Sie bitte die ganze Figur aus und machen daraus einen Körper.
Die bunten Kreise sollen nach außen zeigen.

Wenn die blauen, roten und grünen Kreise auf den gegenüberliegenden Flächen sind, dann haben Sie die Aufgabe richtig gelöst.

1 Im Studio. — Schreiben Sie bitte

Wo war er um 18.50 Uhr?

① Der Nachrichtensprecher war neben

der Kamera.

② _____

_____

③ _____

_____

④ _____

_____

Wo ist er jetzt?

Er sitzt jetzt _____

_____

_____

_____

S 2 Wie sagt man das richtig ? — Schreiben Sie bitte

1. "Sie hier sein. Mich freuen. Königin
   schon warten. Berlin hoffentlich
   gefallen."

2. "Nach Potsdam fahren. Adjutant schon
   wissen."

3. "Warum am Halleschen Tor stehen? Doch
   von Frankfurt kommen!"

4. "Fahrer oft dumm sein, nicht entschuldigen."

5. "Baron komischer Mensch sein. Nicht
   richtig sprechen können."

1 Ergänzen Sie bitte

Wo ist das Rathaus? — Da drüben. - Und wie komme ich dahin? - Gehen Sie da hinüber!

1. Wo ist der Bahnhof? — Da unten. -_____ ? -

_____ !

2. Wo ist die Post? — Da oben. -_____ ? -

_____ !

3. Wo ist das Gymnasium? — In der ersten Straße rechts. -_____ ? -

_____ !

2 Antworten Sie bitte

Wo ist mein Fotoapparat? — In deiner schwarzen Tasche oder deiner braunen Tasche.

1. Wo ist mein Paß? — _____ alt_____ Hose

_____ neu_____

2. Wo ist mein Füller? — _____ recht_____ Sakkotasche

_____ link_____

3. Wo sind meine Schlüssel? — _____ grau_____ Mantel

_____ schwarz_____

4. Wo ist mein blaues Hemd? — _____ klein_____ Koffer

_____ groß_____

5. Wo sind meine Briefe? — _____ schwedisch_____ Buch

_____ französisch_____

6. Wo ist meine Beatles-Platte? — _____ hellbraun_____ Regal

_____ dunkelbraun_____

9D

S 3 "Gesucht!" — Ergänzen Sie bitte

Ein al<u>ter</u> Mann mit schwarz<u>en</u> Haar<u>en</u>, <u>der</u> <u>eine</u> grau<u>e</u> Hose und <u>ein</u> rot<u>es</u> Hemd trägt.

1. Ein klein_____ Mädchen mit kurz_____, blond_____ Haar_____, _____ _____

   blau_____ Kleid und _____ gelb_____ Anorak trägt.

2. Eine jung_____ Frau mit lang_____, schwarz_____ Haar_____, _____ _____

   grün_____ Rock und _____ weiß_____ Pullover trägt.

3. Ein jung_____ Mann mit kurz_____, rot_____ Haar_____, _____ _____

   blau_____ Hose und _____ gelb-rot_____ Hemd trägt.

4. Eine älter_____ Dame mit kurz_____, grau_____ Haar_____, _____ _____

   lang_____ Mantel und _____ groß_____ Hut trägt.

S 4 Machen Sie Relativsätze, bitte

Beispiel: Ich habe eine Freundin; sie ist Französin.
            Ich habe eine Freundin, die Französin ist.

1. Ich habe einen Freund; er ist Engländer.

   _____

2. Wir nehmen den Zug; er ist um 13.15 Uhr in Berlin.

   _____

3. Wir haben Freunde; sie waren in Japan und China.

   _____

4. Ich suche eine Frau; sie ist etwa 30 Jahre alt und hat braune Haare.

   _____

5. Wir haben ein Kind; es ist noch klein und schreit viel.

   _____

2 Wie sind die Zimmer/Appartements/Wohnungen?

a) *Schreiben Sie hier bitte:*

Nr.	qm/m²	Küche?	Dusche?	Bad?	möbl.?	HZ?	DM?	+ NK?	Frei wann?
1	?	+	+	?	–	+	?	?	sofort
2									
3									
4									
5									
6									
7									
8									
9									
10									
11									
12									
13									

Vermietungen

1. **Zwei 1/2-Zi.-Appartements,** m. Kochn., Duschbad, Diele u. HZ, in ruhiger Lage Nähe Hupfeldschule ab sof. zu vermieten, ☎ **3 60 28**
2. **1-Zi.-Ap.,** 25 qm, ZH, Spüle, E-Herd, Kühlschr., Teppichboden, Bad u. WC, DM 170 plus NK und Kaution, Landesärztekammer Hessen. Versorgungswerk, Mönchebergstr. 50, ☎ **89 14 00**
3. **Garage frei!** Franzgraben 3. ☎ **1 30 29** (nur von 8–17 Uhr)
4. **3 Zi.,** Kü., Bad, HZ, Nähe Lutherplatz zu vermieten, ☎ **3 69 01**
5. **1-Zi.-Appartement** (leer) frei. Billigst! ☎ **1 41 74** (nur von 8–17 Uhr)
6. **Möbl. Zimmer,** Nähe Hauptbahnhof, ab 1. 1. 79 frei, ☎ **7 14 24**
7. **Kl. Laden** mit Wohn., Nähe Hauptpost, frei. Angebote unter A 1/3376 Pressehaus Kassel
8. **Sep. möbl. Zimmer,** Küche u. Duschbenutz., Zentrum Kassel, frei. ☎ **0 56 05 52 00**
9. **2-Zimmer-Appartement** zum 1. 2. 79, Nähe Holl. Platz zu verm., 250 DM u. Nebenabgaben. Tel. 8 49 71, Mo. – Fr. 7 – 16 Uhr
10. **2 Zi.,** Kü., Bad, 50 qm, Nähe Berliner Brücke. DM 250.–, evtl. Garage DM 40.–. ☎ **1 56 91** Mi., Do. 8 bis 16 Uhr
11. **2-Zi.-Wohn.,** Küche, Bad, Flur, ÖlZH., Ww., Fahrstuhl. Zentrum. Miete DM 260.– zuzügl. NK. PODEWASCH-Immobilien, ☎ **2 31 57**
12. **2 ZKB,** vollst. renoviert, 2-Fam.-Haus vord. Westen. z. 1. 1. 79, DM 350.– + NK. ☎ **05 61 / 7 52 70** ab 15 Uhr
13. **2 ¹⁄₂ Zi.,** Kü., Bad, sep. WC, zentr. Ölversorg., Teppichbod., 79 qm. Altbau, 1. 1. od. 1. 2. 79, DM 320.– + NA. ☎ **1 76 77**

b) *Sie suchen ein Zimmer. Anzeige Nr. 2 sieht gut aus – rufen Sie an:*

Sie:

○ "Landesärztekammer, Müller. Guten Tag."

● "Guten Tag, hier ist _____

Sie haben eine Anzeige für ein _____

_____ in der Zeitung."

○ "Ja, richtig."

● "Wie hoch sind denn bitte die Neben-

kosten?"

○ "_____

_____

● "Da steht auch: 'Kaution'. Was ist

das, bitte?"

○ "_____

_____

● "Ab wann ist das Zimmer frei?"

○ "_____

_____

● "Vielen Dank für die Auskunft. Ich
rufe Sie wieder an. Auf Wiedersehen."

○ "_____

10A

1 "Erst haben/sind wir . . . . . , dann . . . . ." — **Schreiben Sie bitte**

(Kiosk) _____

(Zeitung) _____

(Boutique) _____

(Hose) _____

(Theater) _____

(Kasse) _____

(U-Bahn) _____

(Manfred) _____

(_____) _____

(_____) _____

(_____) _____

(_____) _____

2 Schreiben Sie Geschichten zu den Bildern

Erste Geschichte:

Zweite Geschichte:

1 _____
_____
_____
_____
_____
_____

1 _____
_____
_____
_____
_____

2 _____
_____
_____
_____
_____
_____

2 _____
_____
_____
_____
_____

3 _____
_____
_____
_____
_____

3 _____
_____
_____
_____
_____

4 _____
_____
_____
_____
_____

4 _____
_____
_____
_____
_____

5 _____
_____
_____
_____

5 _____
_____
_____
_____

3 Römer und Germanen. — Schreiben Sie eine Geschichte

① _Die Römer_ _____

② _____

_____ _____

_____ _____

③ _____

_____

_____

_____

Was taten die Römer und Germanen dann?

Dann _____

_____

_____

_____

_____

Lexikon!	
kämpfen	— kämpften
töten	— töteten
besiegen	— besiegten
schreien	— schrien
weinen	— weinten
lachen	— lachten
verfolgen	— verfolgten
fliehen	— flohen
verhandeln	— verhandelten

4 "Das sind ja tolle Geschichten!"

Schreiben Sie bitte:

Der Mann mit dem Bart

ist _____

_____

_____

_____

_____

_____

Dann _____

_____

_____

_____

_____

_____

Im Café _____

_____

_____

_____

_____

_____

Schließlich _____

_____

_____

_____

_____

_____

1–4 a Herr Bauer ist letzte Woche aus dem Urlaub zurückgekommen. — Was sagt er?

"Ich bin _____

_____

_____

_____

_____

_____

_____

_____

_____

_____

_____

_____

1–4 b Wie war Ihr Urlaub?

"Ich war _____

_____

_____

_____

_____

_____

_____

_____

1–4 c Was ist denn da passiert ? — Schreiben Sie bitte

"An einer roten Ampel ging _____

_____

_____

_____

_____

_____ ➤

1–4 d Frau Wirth hat letzte Woche einen Pullover gekauft . . . . .

"Ich habe hier _____

_____

_____

_____

_____

_____

1–4 e Herr Karlsson hat letzten Monat eine Weltreise gemacht . . . . .

"Erst bin ich _____

Dann _____

_____

Später _____

_____

Und schließlich _____

_____

S 1 Die Geschichte von Antek Pistole

a) Was paßt? - Machen Sie Sätze:

a	Margarinien ist
b	Antek lebte
c	Antek Pistole machte
d	Ein Besenbinder ist
e	Antek hatte
f	Margarinien liegt
g	Antek arbeitete
h	Anteks Besen
i	Antek kaufte sich

1	Tag für Tag.
2	gingen nie kaputt.
3	das Besenbinden von seinem Vater gelernt.
4	ein Besenbinder.
5	hatten alle einen Besen von Antek.
6	ein Land.
7	nie einen Streit.
8	lebten damals nur 311 Leute.
9	etwas kleiner als Griechenland.
10	ein guter, ehrlicher Mensch.
11	in einem kleinen Dorf in Margarinien.
12	jeden Tag 5 Besen.
13	im Süden.
14	Brot.
15	ein Mann, der Besen macht.
16	stark wie ein Bär.
17	gut mit allen Menschen zusammen.
18	Besen, die nie kaputtgingen.
19	waren viel zu gut.
20	Wurst und eine Flasche Bier.

b) Schreiben Sie jetzt bitte die ganze Geschichte:

_____

_____

_____

_____

_____

_____

_____

_____

_____

2 Was hat Peter am Freitag noch gemacht?

15.30 – 17.00	geschlafen
17.30 – 18.00	Zu Abend gegessen
18.10	Karin angerufen: keine Zeit gehabt!
18.55 – 21.15	im Fernsehen Nachrichten gesehen, dann Western; ziemlich blöd gewesen
21.30	ins Gasthaus gegangen; dort Helmut getroffen, 4 Bier getrunken
23.15	nach Hause gefahren; gleich ins Bett gegangen

MIST!

Schreiben Sie bitte:

"Dann hat Peter _____

_____

_____

_____

_____

_____

_____

_____

_____

_____

_____

_____

_____

Dieser Tag ist _____ gewesen!

10D

S 1 Ergänzen und fragen Sie bitte

treffen, fahren, essen, trinken

Wo seid ihr gestern gewesen?   — Wir sind im Kino gewesen. Und ihr?
Wo seid ihr gewesen?

1. Was habt ihr gestern _____ ? — Wir _____ Bratwürste _____ .

      _____ ?

2. Was habt ihr gestern _____ ? — Wir _____ Wein _____ .

      _____ ?

3. Wen habt ihr gestern _____ ? — Wir _____ Nancy _____ .

      _____ ?

4. Wohin seid ihr gestern _____ ? — Wir _____ nach München _____ .

      _____ ?

S 2 Fragen Sie bitte

Gestern war ich bei Peter. — Wo bist du denn <u>wirklich</u> gewesen?

1. Gestern trank ich nur Sprudel. — Was _____ ?

2. Gestern kaufte ich nur ein Brot. — Was _____ ?

3. Gestern half ich Max. — Wem _____ ?

4. Gestern fuhr ich ins Büro. — Wohin _____ ?

5. Das kostete nur eine Mark. — Was _____ ?

6. Gestern suchte ich nur dich. — Wen _____ ?

7. Gestern rauchte ich nur fünf Zigaretten. — Wie viele _____

      _____ ?

8. Gestern schrieb ich nur Herrn Bauer. — Wem _____ ?

_____

9. Gestern arbeitete ich nur fünf Stunden. — Wie lange _____

_____ ?

3 Fragen Sie bitte

Das war <u>Herr Tulla</u>. — <u>Wer</u> war das?

1. Das Wetter war <u>schön</u>. — _____ ?

2. Das Gepäck gehörte <u>uns</u>. — _____ ?

3. Susi war <u>zu Hause</u>. — _____ ?

4. Es war <u>genau 12 Uhr</u>. — _____ ?

5. Herr Lang küßte <u>Frau Wolter</u>. — _____ ?

6. <u>Frau Lang</u> machte das Essen. — _____ ?

7. Herr Santos kam <u>aus Brasilien</u>. — _____ ?

8. Die Schlüssel gehörten <u>mir</u>. — _____ ?

9. Ich hatte nur noch <u>5 Mark</u>. — _____ ?

10. Gestern war <u>der 30.10.</u> — _____ ?

11. Das Kleid kostete nur <u>99 Mark</u>. — _____ ?

12. Ich suchte <u>dich</u>. — _____ ?

13. Der Flug dauerte nur <u>eine Stunde</u>. — _____ ?

14. Die Ferien fingen <u>am 22.12.</u> an. — _____ ?

15. Wir blieben <u>bis zum 12.9.</u> — _____ ?

16. Die Wohnung war <u>nicht gemütlich</u>. — _____ ?

17. Das Spiel gefiel <u>Nancy</u> nicht. — _____ ?

18. Madeleine schmeckte <u>das Sauerkraut</u> nicht. — _____

_____ ?

19. Wir trafen <u>Dieter</u> in der Stadt. — _____ ?

20. Sie kaufte <u>das lange gelbe Kleid</u>. — _____ ?

S 4 Ergänzen Sie bitte

Dir weh tun: Das habe ich nicht gewollt! Ich habe dir nicht weh tun wollen!

1. Zum Zahnarzt gehen: Das habe ich nicht gewollt! _____

_____

2. So viel Geld ausgeben: Das habe ich nicht gewollt! _____

_____

3. Noch ein Jahr warten: Das habe ich nicht gekonnt! _____

_____

4. Mit meinem Freund Urlaub machen: Das habe <u>ich</u> nicht gedurft! _____

_____

5. Mit 16 Jahren allein verreisen: Das haben <u>wir</u> nicht gedurft! _____

_____

6. Mich heiraten: Das hast du nicht gemußt! _____

_____

7. Mit uns in Urlaub fahren: Das habt ihr nicht gemußt! _____

_____

S 5 Antworten Sie bitte

	Wohin geht ihr?	Wo wart ihr?	Woher kommt ihr?
(Stadt)	*In die Stadt.*	*In der Stadt.*	*Aus der Stadt.*
1. (Museum)			
2. (Rathaus)			
3. (Dom)			
4. (Kino)			
5. (Theater)			

	Wohin geht ihr?	*Wo wart ihr?*	*Woher kommt ihr?*
6. (Gasthaus)	_____	_____	_____
7. (Wohnung)	_____	_____	_____
8. (Bad)	_____	_____	_____
9. (Boutique)	_____	_____	_____
10. (Büro)	_____	_____	_____
11. (Firma)	_____	_____	_____
12. (Kirche)	_____	_____	_____

6 Bitte ergänzen und antworten Sie

Wohin hast du meinen Fotoapparat getan? - In den Schrank. -
Im Schrank liegt er aber nicht!

1. Wohin hast du meine Zeitung getan? - Auf _____ Schreibtisch. -
_____ !

2. Wohin hast du meinen Paß getan? - In _____ Brieftasche. -
_____ ist _____ !

3. Wohin hast du meine Schlüssel getan? - In _____ Regal. -
_____ !

4. Wohin hast du meine Flasche Wein getan? - In _____ Küche. -
_____ !

5. Wohin hast du meinen Pullover getan? - Unter _____ Hemden. -
_____ !

6. Wohin hast du meinen Brief getan? - Auf _____ Tasche. -
_____ !

7. Wohin hast du mein Hemd getan? - Neben _____ Hose. -
_____ !

1 Frankfurt

a) Lesen Sie: "Z.B. Frankfurt: Die Zerstörung einer Stadt"

Was war	*Schreiben Sie hier die Schlüsselwörter, bitte:*
..... 1961?	*18 000*
..... 1971?	
..... 1974?	
Ausländer?	
alte Menschen?	
Kinder?	
City?	

b) Lesen Sie bitte: "Sichere Arbeitsplätze und ein gutes Einkommen"

Schreiben Sie die Schlüsselwörter, bitte:

"Frankfurt ist die wirtschaftliche Hauptstadt der Bundesrepublik"

Frankfurts wirtschaftliche Kraft

2 Frankfurt oder Berlin? — Wo möchten Sie leben?

Schreiben Sie bitte:

In Frankfurt:

1. _____

_____

_____

_____

_____

_____

_____

_____

_____

_____

_____

_____

_____

_____

_____

_____

_____

_____

In Berlin:

1. _____

_____

_____

_____

_____

_____

_____

_____

_____

_____

_____

_____

_____

_____

_____

_____

_____

_____

1/2 Was meinen Sie? — Schreiben Sie bitte

a) Tiere in der Wohnung?

+   —

1. _____   1. _____

_____   _____

_____   _____

_____   _____

_____   _____

b) In einer Etagenwohnung leben?

1. _____   1. _____

_____   _____

_____   _____

_____   _____

_____   _____

c) Kinder haben?

1. _____   1. _____

_____   _____

_____   _____

_____   _____

3 Herr Riad möchte einen Gebrauchtwagen

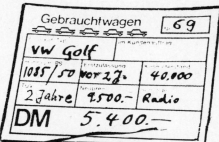

*Er ruft die Firma
Auto-Adler an:*

Herr Adler:

● Firma Auto-Adler, guten Tag!

Herr Riad:

○ Guten Tag, _____

_____

_____

● _____

_____

_____

                  ○ _____

_____

● _____

_____

                  ○ _____

● _____

_____

                  ○ _____

_____

● _____

_____

                  ○ _____

_____

● _____

4 a Europa — wie heißen die Staaten und ihre Hauptstädte?

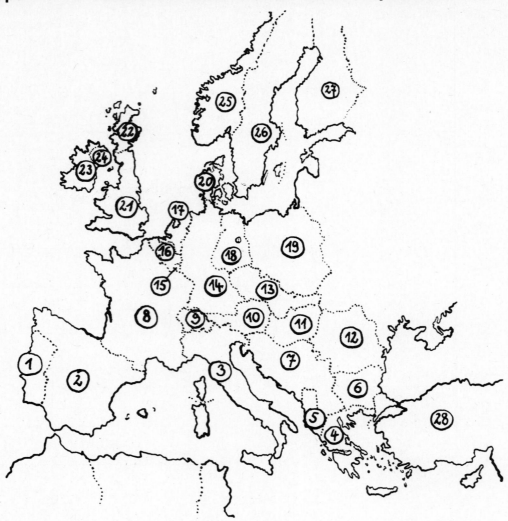

Arbeiten Sie mit dem Lexikon und schreiben Sie, bitte:

① Portugal / Lissabon _____

② _____

③ _____

④ _____

⑤ _____

⑥ _____

⑦ _____

⑧ _____

⑨ _____

⑩ _____

⑪ _____

⑫ _____

⑬ _____

⑭ _____

⑮ _____

⑯ _____

⑰ _____

⑱ _____

⑲ _____

⑳ _____

㉑ _____

㉒ _____

㉓ _____

㉔ _____

㉕ _____

㉖ _____

㉗ _____

㉘ _____

4 b Schreiben Sie bitte

1. Welche Länder sind größer als die Bundesrepublik?

_____

_____

_____

2. Welche Länder sind kleiner als die Bundesrepublik?

_____

_____

_____

3. Welche Länder liegen weiter nördlich als die Bundesrepublik?

_____

_____

_____

4. Welche Länder liegen südlicher als die Bundesrepublik?

_____

_____

_____

5. Vergleichen Sie Ihr Land und die Bundesrepublik:

	Ihr Land	Bundesrepublik
Lage?		
Größe?		
Einwohner?		

5 a Was passierte da gestern ? — Schreiben Sie bitte

Gestern _____

_____

_____

_____

_____

_____

_____

_____

5 b Was sehen/glauben/sagen sie ? — Ergänzen Sie bitte

Was sehen Frau Reichel und Herr Ackermann? - Sie sehen _____

_____

Was glaubt Frau Reichel? - Sie glaubt, _____

Was meint Herr Ackermann? - _____

Was sagt Fritz? - _____

Was glauben Sie? - _____

1 Ergänzen Sie bitte

Nimm doch den Renault 4, der ist billiger.

1. _____ das Zimmer im 1. Stock, (hell) _____

   _____

2. _____ den VW Golf, (gut) _____

3. _____ das rote Kleid, (schön) _____

4. _____ den Zug um 9 Uhr, (schnell) _____

   _____

5. _____ die Tasche zu 30 Mark, (groß) _____

   _____

6. _____ dieses Radio, (klein) _____

2 Ergänzen Sie bitte

Nichts ist <u>schöner als</u> Urlaub. Urlaub ist <u>am schönsten</u>.
Nichts ist <u>so schön wie</u> Urlaub. Urlaub ist <u>am schönsten</u>.

1. Niemand ist so arm _____ ich. — _____

2. Niemand singt so gut _____ du. — _____

3. Niemand raucht und trinkt so viel _____ du. — _____

   _____

4. Niemand schreit so laut _____ du. — _____

5. Niemand ißt mehr _____ du. — _____

6. Keine Stadt ist schöner _____ Paris. — _____

7. Nichts ist so schön _____ Fliegen. — _____

8. Niemanden liebe ich mehr _____ dich. — _____

9. Nichts lese ich lieber _____ die Zeitung. — _____

10. Niemand ist so einsam _____ ich. — _____

S 3 Machen Sie ''daß''-Sätze

Ich glaube: Mit der Bahn geht es schneller. -
Ich glaube, daß es mit der Bahn schneller geht.

1. Ich hoffe: Du hast gut geschlafen. — _____

_____

2. Ich meine: Tausend Mark im Monat sind zu wenig. — _____

_____

3. Ich weiß: Du bist mein bester Freund. — _____

_____

4. Ich habe genau gesehen: Die Ampel war schon rot. — _____

_____

5. Ich weiß genau: Ich hatte 6 Bier und 3 Whisky. — _____

_____

6. Habe ich dir nicht gesagt: Frankreich ist teurer als Italien. — _____

_____

7. Hast du nicht gewußt: Wir waren 14 Tage lang in Amerika. — _____

_____

8. Ich hoffe: Ihr besucht mich einmal. — _____

_____

9. Ich habe geglaubt: Du liebst mich. — _____

_____

10. Siehst du nicht: Ich bin krank. — _____

_____

11. Ich hoffe: Diese Übung ist bald zu Ende. — _____

_____

12. Ich glaube: Die daß-Sätze kann ich jetzt! — _____

_____

1 Die Bundesrepublik und ihre Nachbarn

a) *Schreiben Sie hier bitte:*

Land	östlich/westlich südlich/nördlich	Fläche qkm	Nr.	Ein- wohner Mill.	Nr.	Ein- wohner je qkm	Nr.	städt. Bevölkg. %	Nr.	BSP Mill. DM	Nr.	BSP je Einwoh- ner DM	Nr.
Belgien	westlich	30.513	8.	9,89	5.	324,2	2.	87	1.	110.860	4.	12.140	3.

b Ergänzen Sie bitte

1. Italien   südlich

   Dänemark   nördlich   von/
                    liegt   der
   Die DDR   östlich

   Frankreich   westlich   _____

   _____

   _____

   _____

2. Die Schweiz

   Luxemburg   hat   weniger Einwohner als

   Die Tschechoslowakei

   _____

   _____

   _____

3.   Frankreich

   In Österreich   verdienen die Menschen mehr als in

       den Niederlanden

   _____

   _____

   _____

S 2 ''Gastarbeiter'' in der Bundesrepublik

a) Was ist richtig?

1	1976		a	2,6 Millionen
2	1959		b	4 Millionen: Arbeiter mit Familien
3	1973		c	163.000 ausländische Arbeiter
4	1977		d	größte Gruppe: Türken
5	Mehr als die Hälfte der Ausländer		e	haben Schwierigkeiten mit der deutschen Sprache.
6	Die meisten Kinder		f	leben schon über 10 Jahre in der Bundesrepublik.
7	Viele Schüler		g	machen keinen Hauptschulabschluß.
			h	bekommen keine Lehrstelle.

b) Anteil der ausländischen Arbeitnehmer. - Schreiben Sie bitte:

1. Aus welchen Ländern kommen die meisten ausländischen Arbeitnehmer und ihre Familien?

(1) _____
(2) _____
(3) _____
(4) _____
(5) _____

2. In welchen Städten wohnen besonders viele ausländische Arbeitnehmer und ihre Familien?

(1) _____ %
(2) _____ %
(3) _____ %
(4) _____ %

3. Wo arbeiten die meisten ausländischen Arbeitnehmer?

(1) _____
(2) _____
(3) _____
(4) _____
(5) _____

1 Urlaub — Ferien — Freizeit. — Lesen Sie bitte

1900 arbeiteten die Menschen in Deutschland noch etwa 13 Stunden pro Tag. Seit 1918 gibt es die 48-Stunden-Woche. 1978 arbeitete man ungefähr 40 Stunden in der Woche. In den letzten 30 Jahren hat sich die Zahl der Urlaubstage verdoppelt: von 14 Tagen 1950 auf etwa 28 Tage 1980.

Kürzere Arbeitszeit bedeutet oft mehr Streß am Arbeitsplatz!

Viele Leute sind herz- und magenkrank und haben Kreislaufstörungen.

Deshalb sagen die Ärzte: "Machen Sie 'aktiven' Urlaub - wandern Sie, schwimmen Sie, tanzen Sie - Sport hält Sie gesund!"

a) Wieviel Arbeit - wieviel Urlaub?

	1900	1918	1950	1978	1980
Arbeit	13 Std. pro Tag				
Urlaub	?				

b) Sagt das der Text? - Machen Sie Kreuze ⊠

		JA	NEIN
	Neunzehnhundert arbeiteten die Menschen in Deutschland fünfzehn Stunden pro Tag.		X
1.	Neunzehnhundertfünfzig hatten die Menschen in Deutschland vierzehn Tage Urlaub.		
2.	'Aktiver' Urlaub ist: Schlafen, Trinken, Essen.		
3.	Seit 1918 arbeiten die Menschen in Deutschland 12 Stunden pro Tag.		
4.	Viele Menschen machen Sport am Arbeitsplatz.		
5.	1985 arbeiten die Menschen in Deutschland nur noch 35 Stunden in der Woche.		

c) Arbeiten Sie mit dem Lexikon:

Urlaub: _____

Arbeit: _____

Arbeitszeit: _____

Arbeitsplatz: _____

Kreislaufstörung: _____

2 Ausgaben für die Freizeit. — Schreiben Sie bitte

Die Leute in der Bundesrepublik:		Die Leute in Ihrem Land:		Sie selbst:	
1.	Urlaub	1.		1.	
2.	Auto	2.		2.	
3.	Radio/Fernsehen	3.		3.	
4.	Lektüre	4.		4.	
5.	Sport/Camping	5.		5.	
6.	Haustiere/Garten	6.		6.	
7.	Spiele	7.		7.	
8.	Theater/Kino	8.		8.	
9.	Fotografieren/Filmen	9.		9.	

3 "Für viele ist Urlaub ein Fremdwort"

a) Unterstreichen Sie im Text die Schlüsselwörter:
▼

b) Schreiben Sie die Schlüsselwörter neben den Text:
▼

Acht Millionen Bundesdeutsche haben noch nie eine Ferienfahrt gemacht

8 Millionen Bundesdeutsche nie Ferienfahrt

STARNBERG — Jede dritte Frau in der Bundesrepublik Deutschland ist in ihrem Leben noch nie oder nur äußerst selten verreist gewesen. Zu diesem Ergebnis kam der Studienkreis für Tourismus in Starnberg. Nach einer eingehenden Analyse kennen gut acht Millionen Bundesbürger das Wort Urlaubsreise nur vom Hörensagen. Bis heute haben sie noch nie eine Ferienfahrt unternommen, die länger als fünf Tage dauerte.

Im vergangenen Jahr sind 21 Millionen der erwachsenen Bundesbürger (das sind 46,3 Prozent) in den Ferien nicht verreist. Rund elf Millionen von ihnen haben überhaupt keinen Urlaub gemacht, sondern durchgearbeitet.

Nach Angaben des Studienkreises konnten zum Beispiel 82 Prozent der selbständigen Landwirte sowie jeweils 40 Prozent der Hilfsarbeiter, Rentner und Hausfrauen in den letzten fünf Jahren nicht verreisen oder waren niemals in ihrem Leben auswärts auf Urlaub. Spitzenreiter unter den Touristen sind die leitenden Angestellten und Beamten.

6 Dreimal Deutschland

a) *Bundesländer, Hauptstädte.*
Schreiben Sie bitte:

b) *In welchen Städten ist am meisten Sonnenschein?*

Bundesländer	Hauptstädte
Hamburg	—

Sonne pro Jahr	Städte
1700–1900 Stunden	
1500–1700 Stunden	
1300–1500 Stunden	

c) *"Über die Hälfte der Deutschen würde lieber im Ausland leben" -*
Lesen und schreiben Sie bitte:

Leben in der Bundesrepublik:

Vorteile (+)	Nachteile (−)
1. demokratische Verfassung	

Leben in Ihrem Land:

Vorteile (+)	Nachteile (−)

7 "Wie sind die Deutschen?"

Wortpaare, die <u>Gegensätze</u> ausdrücken:

a) *Wie heißen die Wörter in Ihrer Sprache? Arbeiten Sie mit dem Lexikon:*

(1) fleißig — faul
    tapfer — feige
    mutig — ängstlich
    friedlich — streitsüchtig
    warmherzig — kalt
    großzügig — kleinlich

(1) _____
_____
_____
_____
_____
_____

(2) beweglich — *un*beweglich
    bescheiden — *un*bescheiden
    tolerant — *in*tolerant
    zuverlässig — *un*zuverlässig
    aufrichtig — *un*aufrichtig
    kultiviert — *un*kultiviert

(2) _____
_____
_____
_____
_____
_____

(3) phantasie*voll* — phantasie*los*
    (viel Phantasie) — (keine Phantasie)

    geist*reich* — geist*los*
    (viel Geist) — (wenig Geist)

    humor*voll* — humor*los*·
    (viel Humor) — (wenig Humor)

(3) _____
_____
_____
_____
_____
_____

b) *Was meinen Sie: Wie sind die Deutschen? - Machen Sie Kreuze*

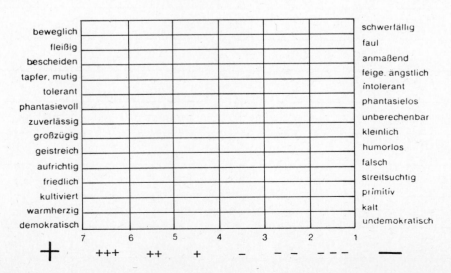

	7	6	5	4	3	2	1	
beweglich								schwerfällig
fleißig								faul
bescheiden								anmaßend
tapfer, mutig								feige, ängstlich
tolerant								intolerant
phantasievoll								phantasielos
zuverlässig								unberechenbar
großzügig								kleinlich
geistreich								humorlos
aufrichtig								falsch
friedlich								streitsüchtig
kultiviert								primitiv
warmherzig								kalt
demokratisch								undemokratisch

   +   +++   ++   +   −   − −   − − −   **━**

8 Bitte arbeiten Sie mit dem Lexikon

a) "Nur ein Ausländer entdeckte bei den Deutschen Humor"

Meinungs**bild**: _____

Zuverlässig*keit*: _____

Genauig*keit*: _____

Sparsam*keit*: _____

Flexibili*tät*: _____

Risikofreudig*keit*: _____

b) "Ordnungsliebe und Fleiß ....."

Ordnungs**liebe**: _____

Haupterziehungs**ziel**: _____

Bundes**bürger**: _____

Sozialwissen*schaft*: _____

Selbständig*keit*: _____

Folgsam*keit*: _____

Anpass*ung*: _____

Eigen*schaft*: _____

c) Wortbildung

Adjektiv + -*keit* = Substantiv:

selbständig	die Selbständig*keit*
folgsam	Folgsam*keit*
zuverlässig	Zuverlässig*keit*
sparsam	Sparsam*keit*
risikofreudig	Risikofreudig*keit*

1. schwierig _____

2. höflich _____

3. freundlich _____

Adjektiv + -*heit* = Substantiv

| reserviert | die Reservier*theit* |

4. verschlossen _____

5. offen _____

9 Sagen die Leute ''Du'' zueinander? — Schreiben Sie bitte

Studenten	_____ _____
Leute am Arbeitsplatz	_____
ältere Lehrer jüngere Lehrer	_____

10 a Was war am Dienstag, 19. 9. 1978, im deutschen Fernsehen?

Lesen Sie bitte:

Zeitgeschehen		Unterhaltung			Bildung/Kultur
Nachrichten- sendungen	Politische Sendungen (Magazine)	für Er- wachsene	für Kinder	Sport	
Tagesschau (1.)	Report (1.)	Der heimliche Teilhaber (1.)			Ein Bestseller wird gemacht (1.)
Abendschau (regional) (3.)	Streitfall: Der Radi- kalenerlaß (2.)	Das Haus der Krokodile (1.)			Kris Kristofferson und Rita Coolidge (1.)
Tagesthemen (1.)		Was bin ich? (1.)	Pino- cchio (1.)		Technik für Kinder (2.)
Heute (2.)		Detektiv Rockford (1.)	Tarzan (2.)		Apropos Film (2.)
Heute- Journal (2.)			Märchen der Völker (2.)		Art Blakey (2.)
Nachrich- ten (3.)		Alfred Hitchcock (2.)			Schulfernsehen (3.)
					Telekolleg (3.)
					Jugendmusik (3.)
					Spiegelbilder des Lebens (3.)

(1.) = 1. Programm (ARD) (3.) = 3. Programme
(2.) = 2. Programm (ZDF)   (regional)

*Das Fernsehprogramm für Samstag, den 24.2.1979 –
Bitte lesen Sie; arbeiten Sie mit dem Lexikon:*

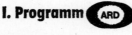

I. Programm ARD

13.40 Vorschau
14.10 Tagesschau
14.15 Sesamstraße
14.45 Ein Nachmittag aus Ham-
    burg. Musikmagazin und Neu-
    es vom Kleidermarkt
16.15 ARD-Ratgeber: Auto und
    Verkehr (siehe tv-aktuell)
17.00 Verliert Mutter Kirche ihre
    Töchter?

*

Frankfurt
17.30 Heidi
18.00 Tagesschau
18.05 Die Sportschau

19.00 Sandmännchen
19.05 Sportjournal
19.30 Hessenschau

*

20.00 Tagesschau
20.15 Zum Blauen Bock. Eröff-
    nung der ARD-Fernsehlotterie
    1979 „Ein Platz an der Son-
    ne". Übertragung aus der
    Rhein-Main-Halle in Wiesba-
    den
        (Siehe Textteil)
22.15 Ziehung der Lottozahlen /
    Tagesschau / Das Wort zum
    Sonntag
22.35 Session. Eine Show
23.20 Einer gibt nicht auf. US-
    Spielfilm, 1959
0.30 Tagesschau

II. Programm ZDF

13.00 Vorschau
13.30 Cordialmente dall'Italia –
    Herzliche Grüße aus Italien
14.15 Türkiye mektubu — ein
    Brief aus der Türkei
14.58 heute
15.00 Enid Blyton: Fünf Freunde
    und der Zauberer Wu (2)
15.25 Stars singen für die Kin-
    der der Welt in „Wir Men-
    schenkinder"
16.30 Die Muppets-Show
16.59 Der große Preis (Wochen-
    gewinner)

17.00 heute
17.05 Länderspiegel (siehe
    tv-aktuell)
18.00 Lou Grant. Ein Skandal
19.00 heute
19.30 Direkt. Ein Magazin mit
    Beiträgen junger Zuschauer
20.15 Helden. Deutscher Spiel-
    film, 1958
21.45 heute
21.50 Das aktuelle Sport-Studio
23.05 Der Kommissar s/w.
    Traum eines Wahnsinnigen
24.00 heute

Hessen III

18.00 Focus on jazz. Berliner
    Jazztage 1978
18.45 Ich und mein Bruder.
    Nächstenliebe
19.15 Ostasiatisches Kochkabi-
    nett. Vorspeisen und kalte
    Gerichte
19.30 Stimme der Stummen.
    Dritte lateinamerikanische Bi-
    schofskonferenz
20.00 Tagesschau
20.15 Ich, Claudius, Kaiser und
    Gott. Die Herrschaft des Ter-
    rors
21.05 Nachrichten
21.15 Spoleto USA. Ein Festival
    entdeckt Amerika
22.10 Frankenstein. Spielfilm,
    USA 1931

Was ist was? - Schreiben Sie jetzt die Programme vom 24. Februar 1979 in diese Tabelle (wie letzte Seite):

Zeitgeschehen		Unterhaltung			Bildung/Kultur
Nachrichten-sendungen	Politische Sendungen (Magazine)	für Er-wachsene	für Kinder	Sport	

10 b Rundfunk

Jede Rundfunkanstalt macht 3 <u>regionale</u> Programme. Die Sender sind nicht kommerziell.

Der "Deutschlandfunk" ist <u>nicht regional</u>. Er bringt viele Sendungen für das Ausland.

"Deutschlandfunk"-Programm für den 21.2.1979:

Deutschlandfunk

11.10 Das ist die Hafenmelodie. Musik von der Waterkant
13.30 Jazz
14.10 Ich bin klein. Texte zum Sonntag
14.30 Die Vorschau
15.05 Extra. Unterhaltung
17.10 Aus Gesellschaft und Politik
17.30 Der aktuelle Plattenteller
19.30 Und abends in die Oper
20.15 Wenig Änderung. Hörspiel
22.05 Tanzparty

10 c Schreiben Sie bitte die Geschichte

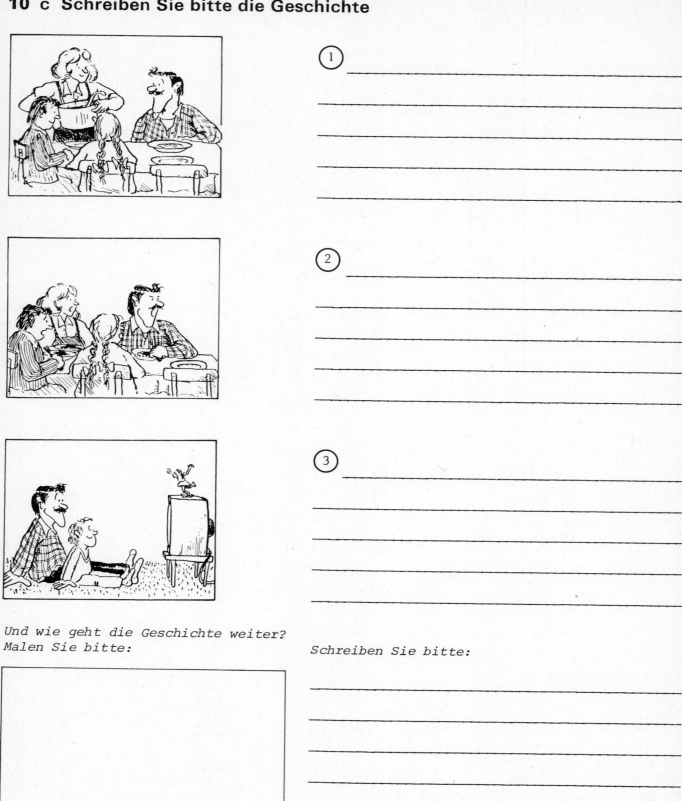

① _____

_____

_____

_____

_____

② _____

_____

_____

_____

_____

③ _____

_____

_____

_____

_____

Und wie geht die Geschichte weiter?
Malen Sie bitte:

Schreiben Sie bitte:

11 Erzählen Sie, was letzte Woche passierte

1 Blaschkes luden für Samstagabend Frau und Herrn Özer ein _____

_____

_____

_____

2 _____

_____

_____

_____

3 _____

_____

_____

_____

4 _____

_____

_____

5 _____

_____

_____

12

12 7 Leute machen ein Lehrbuch

Was paßt zu wem?

Er mag:

Er mag:		Er mag nicht:

Er mag:

witzige Texte
Marsmenschen in Deutschlehrwerken
unkonventionelle Form und Inhalt bei Büchern
die hier abgebildeten Köpfe
Ö.L., Coladosen und Weingläser – und Rocka
Sprachunterricht, der den Lernenden Spaß macht
Studenten, die selbst ent- scheiden, was und wie sie lernen wollen
_____ _____ _____ _____

ROCKO

HEINZ

THEO

REINER

MANFRED

BJARNE

GERD

Er mag nicht:

Cola und Käsebrot
Aufträge, die nicht abwechslungsreich sind
mechanischen Unterricht
Unterricht, in dem die Lernenden nicht ihre eigenen Interessen aus- drücken können
Lehrwerke, die Lehrer und Lernende gängeln
Studenten, die nach diesem Buch nicht weiterlernen
nur Lehrer am Gymnasium sein
_____ _____ _____ _____

1 Was sagen Sie?

1. Eine Dame fragt Sie: "Wie komme
   ich zum Bahnhof?"
   (1) Sie wissen es <u>auch</u> nicht.
   (2) Der Bahnhof ist in der
        2. Querstraße links.

   (1) " _____
   _____

   (2) " _____
   _____

2. Peter fragt Sie: "Wo ist mein
   Fotoapparat?"
   (1) Sie wissen es <u>auch</u> nicht.
   (2) Der Fotoapparat ist in Peters
        Tasche.
   (3) Sie haben den Fotoapparat
        ins Regal gelegt.

   (1) " _____
   (2) " _____
   _____

   (3) " _____
   _____
   _____

3. Sie haben einen Würfel gebastelt.
   Wie haben Sie das gemacht?
   Erklären Sie es Ihrer Freundin!
   (→ 9A4 !)

   "Zuerst habe ich _____
   _____
   _____
   _____
   _____
   _____
   _____
   _____

4. Sie sehen eine hübsche Bluse:
   blau, DM 30,-. Sie gehen in die
   Boutique; Sie möchten die Größe
   wissen:

   _____
   _____
   _____
   _____
   _____

5. Madeleine fragt Sie: "Was hast du
   heute gemacht?"
   Sie erzählen es:

   _____
   _____
   _____
   _____
   _____
   _____
   _____

6. Sie können Ihre Zigaretten nicht
   finden. Sie fragen Ihre Frau
   (Nancy):

   _____
   _____
   _____
   _____
   _____
   _____

7. Sie wollen mit Max nach München
   fahren. Sie wollen mit dem Zug
   fahren, Max mit dem Auto:

   _____
   _____
   _____
   _____
   _____
   _____

8. Bernd will zu einem Fußballspiel
   gehen; Sie wollen ins Kino gehen:

   _____
   _____
   _____
   _____
   _____

9. Ihr Mann will ein großes Auto
   kaufen; Sie wollen lieber ein
   kleines:

   _____
   _____
   _____
   _____
   _____

A Wörter: Machen Sie ein Kreuz

⊠

1. Das Ausländeramt ist eine ..... höher.

a	Tür
b	Stadt
c	Treppe
d	Nummer

2. Wo ist das Standesamt? Wir wollen .....

a	wohnen
b	heiraten
c	arbeiten
d	anmelden

3. Wo ist meine Jacke? – Im .....!

a	Sofa
b	Tisch
c	Stuhl
d	Schrank

4. Ein Fotoapparat macht .....

a	Bilder
b	Platten
c	Bücher
d	Kreise

5. Österreich hat im Sommer ca. 20°C.
   Es hat ein ..... Klima.

a	demokratisches
b	gemäßigtes
c	nördliches
d	richtiges

6. Meine Tasche ist weg. Ich habe sie .....

a	gesehen
b	gekauft
c	verloren
d	gegessen

7. Ich habe zwei Stunden mit Herrn Kurz .....

a	geschickt
b	mitgenommen
c	vergessen
d	gesprochen

8. Die Germanen ..... nach Gallien.

a	sangen
b	marschierten
c	schützten
d	griffen an

9. VW – DM 3.000,– | Der R4 ist .....
   R4 – DM 2.800,–

a	weniger
b	teurer
c	mehr
d	billiger

10. Hast du Telefon? – Ja, du kannst mich .....

a	anrufen
b	verstehen
c	gehören
d	bellen

S B Grammatik: Ordnen Sie bitte die Sätze

Beispiel: Goethestraße/bitte/ist/Wo/die/ ?
         A   B   C D E

D C E A B

1. Wo/bitte/Ausländeramt/ist/das/ ?
  A   B   C   D   E

2. Rathaus/das/auf/ist/der/linken/Seite/ .
    A   B   C D E   F   G

3. Tisch/Die/steht/Vase/dem/auf/
    A   B   C   D   E   F

4. Europa/Die/liegt/Schweiz/mitten/in/ .
    A   B   C   D   E   F

5. wo/Verzeihung,/ich/bekomme/Hosen/ ?
  A   B   C   D   E

6. glaube,/dein/Ich/Sakko/im/ist/Schrank/ .
    A   B   C   D   E F   G

7. mit/Köln/Wagen/bin/Ich/dem/nach/gefahren/ .
  A   B   C   D   E   F   G   H

8. sind/Wo/Sie/morgen/heute/gewesen/ ?
    A   B C   D   E   F

9. hat/es/sie/Wohin/gebracht/ ?
    A B C   D   E

10. Fiat/braucht/Ein/Benzin/weniger/viel/ .
    A   B   C   D   E   F

1.	
2.	
3.	
4.	
5.	
6.	
7.	
8.	
9.	
10.	

S C Orthographie: Schreiben Sie bitte die Wörter

1. Die Vase steht auf dem Re..l.
2. Die Länder sind ungef..r gleich groß.
3. Ein VW ko..et 9.000 Mark.
4. Im Zug fährt man am be..emsten.
5. Das Standesamt ist eine Treppe hö..r.
6. Ein Hund br..cht viel Pflege.
7. Die zwei.. Tür rechts, bitte!
8. Die Römer schü..ten die Grenze.
9. Auf der Straße war viel Verk..r.
10. Jetzt hat sie mehr Unterhalt... .

1.	
2.	
3.	
4.	
5.	
6.	
7.	
8.	
9.	
10.	

D Lesen und Verstehen: Machen Sie ein Kreuz

⊠

1. Bei Müllers stimmt was nicht!

a	Sie haben einen sehr großen Hund.
b	Ihr Auto ist kaputt. Es steht in der Garage.
c	Die Fenster sind offen, aber Müllers sind nicht da.
d	Müllers sind da, aber sie haben keine Zeitung bekommen.

2. "Es geht nicht am schnellsten, aber es ist bequem, und man kann herumlaufen, essen oder lesen, und es ist nicht sehr teuer." — Der Mann fährt mit

a	dem Zug
b	dem Auto.
c	dem Fahrrad.
d	dem Flugzeug.

3. Familie Meier hat jetzt 3 Hunde, und die bellen dauernd.

a	Jetzt wird es bequemer.
b	Jetzt hat Frau Schulz weniger Zeit.
c	Jetzt sind sie noch klein.
d	Jetzt wird es noch lauter.

4. Anzeige: "Suche guten Gebrauchtwagen, maximal 3 Jahre alt, 2 Jahre TÜV."

a	Er sucht einen kleinen Gebrauchtwagen.
b	Er sucht einen zwei Jahre alten Wagen.
c	Er sucht einen Gebrauchtwagen mit 2 Jahren TÜV.
d	Er sucht einen 2 Jahre alten und einen 3 Jahre alten Wagen.

5. Spanien ist größer als Italien, aber es hat viel weniger Einwohner.

a	Spanien ist fast so groß wie Italien, aber es hat mehr Einwohner.
b	Italien ist kleiner als Spanien, aber Italien hat mehr Einwohner.
c	Italien und Spanien sind fast gleich groß, aber Spanien hat mehr Einwohner.
d	Spanien ist größer als Italien, aber es hat fast gleich viele Einwohner.

6. Herr Merkel ist heute morgen zur Firma Meier gefahren. Er hat eine Stunde auf Herrn Meier gewartet, dann hat er mit Herrn Meier und Frau Utz eine halbe Stunde gesprochen und hat bis 1 Uhr zu Mittag gegessen.

a	Herr Merkel hat eine Stunde mit Frau Utz zu Mittag gegessen.
b	Herr Merkel hat eine Stunde gewartet und ist dann ins Büro zurückgefahren.
c	Herr Merkel hat erst zu Mittag gegessen und dann eine Stunde auf Herrn Meier und Frau Utz gewartet.
d	Herr Merkel hat erst gewartet, dann mit Herrn Meier und Frau Utz gesprochen und hat dann zu Mittag gegessen.

7. Luxemburg ist ein Land, das
zwischen dem 49. und 50.
Breitengrad liegt, nur wenige
Einwohner hat und zwischen
Frankreich, Belgien und
Deutschland liegt. -
Luxemburg ist .....

- a ein großes Land im Osten von Europa.
- b ein kleines Land im Süden von Europa.
- c ein kleines Land mitten in Europa.
- d ein kleines Land mitten in Südamerika.

8. Die Römer schützten die Grenze
zwischen Gallien und Germanien.
Die Germanen marschierten nach
Gallien und griffen die Römer an.

- a Die Römer marschierten nach Gallien.
- b Die Germanen griffen die Römer an.
- c Die Römer marschierten nach Germanien.
- d Die Germanen schützten die Grenze
  zwischen Gallien und Germanien.

9. "Meine Uhr! So ein Mist!
Vor 10 Minuten habe ich sie
noch gehabt. Jetzt ist sie weg!"
- Was ist passiert?

- a Er hat zehn Minuten keine Zeit gehabt.
- b Er hat keine Zeit mehr.
- c Er hat zehn Minuten verloren.
- d Er hat seine Uhr verloren.

10. Die Schweiz ist ein Bundesstaat
mitten in Europa. Man spricht
Deutsch, Französisch und
Italienisch. Die Schweiz liegt
zwischen Deutschland, Frankreich,
Österreich und Italien.

- a Die Schweiz ist ein deutsches Bundesland.
- b Die Schweiz ist ein Land, in dem man
  Deutsch, Französisch, Italienisch
  spricht.
- c Die Schweiz liegt mitten in Österreich.
- d Die Schweiz ist ein Bundesstaat von
  Frankreich, Österreich und Italien.

S E Sprechen: Was sagen Sie? — Machen Sie ein Kreuz

1. Sie sind in einem großen
Kaufhaus und suchen eine
Krawatte:

- a Wo ist die Krawatte?
- b Wo bekomme ich Krawatten, bitte?
- c Wo ist der Verkäufer?
- d Möchten Sie eine Krawatte?

2. Entschuldigen Sie, wo ist der Dom?"

- a Das Standesamt ist geradeaus.
- b Da müssen Sie die Heuß-Allee geradeaus
  gehen.
- c Gleich hier vorne, zweite Tür links.
- d Da müssen Sie geradeaus und dann eine
  Treppe höher.

3. Ihre Nachbarin, Frau Mint, sagt:
"Wir haben eine Katze bekommen." -
Sie mögen keine Katzen:

- a Warum nicht?
- b Ich finde einen Vogel besser.
- c Eine Katze ist am besten.
- d Ein Hund braucht mehr Pflege.

Kontrollaufgaben

4. Sie sind im Rathaus. Sie haben ein
   Auto gekauft. –
   "Sie möchten, bitte?"

a	Wo bekomme ich ein Auto?
b	Wo ist die Zulassungsstelle?
c	Ich wünsche mir ein Auto.
d	Wo kann ich Auto fahren?

5. Ihre Frau will mit dem Zug nach
   Spanien in Urlaub fahren, aber
   Sie wollen mit dem Auto fahren. –
   Sie sagen: "Mit dem Auto, ..."

a	da geht es am bequemsten."
b	da ist es am teuersten."
c	da ist es langweiliger."
d	da ist man unabhängiger."

6. "Wo ist meine Hose?"

a	Ich glaube, geradeaus.
b	Ich glaube, Jeans sind besser.
c	Ich glaube, sie ist im Schrank.
d	Ich glaube hier vorne, die zweite Tür rechts.

7. Sie haben Ihre Uhr verloren. –
   Was sagen Sie da?

a	Ach du liebe Zeit!
b	Ich habe keine Zeit!
c	Jetzt ist es Zeit!
d	Ich habe eine Stunde Zeit!

8. Sie und Ihr Partner suchen das
   Ausländeramt. –
   Wie fragen Sie?

a	Wo sind die Ausländer?
b	Wo bekomme ich ein Ausländeramt?
c	Wo finde ich Ausländer?
d	Wo ist bitte das Ausländeramt?

9. Es ist etwas passiert.
   Sie wollen etwas tun.
   Was sagen Sie?

a	Hier stimmt alles!
b	Wir müssen sofort anrufen!
c	So was habe ich noch nie gehört!
d	Das kann nicht sein!

10. Herr Hieber ist im Rathaus. Er
    will eine Reise nach Amerika machen. –
    Was sagt er?

    | a | Ich brauche einen Reisepaß. |
    | b | Wo ist das Einwohnermeldeamt? |
    | c | Ich habe mein Geld verloren. |
    | d | Wo ist das Ausländeramt? |

Lösungsschlüssel zu den S-Übungen und den Kontrollaufgaben

1A3 2b, 3n, 4e.

1C 1: (Das ist) Werner Bolte. 2: (Nancy Boulden trinkt) Whisky-Soda. 3: (Leo Santos kommt) aus Brasilien. 4: Adele Huber (trinkt Milch). 5: Nein, (sie trinkt Bier). 6: Madeleine Bléri (spricht Französisch).

1D1 1: kommen; trinken; 2: heiße; komme; aus; Ich. 3: trinkst; Bier/Cola. 4: ist; kommt; er; spricht.

1D2 2: Wie heißen 3: Wie heißt 4: Was trinken 5: Woher kommen 6: Woher kommst 7: Was trinkst 8: Wie ist 9: Woher kommen 10: ist 11: Wer bist 12: Wer sind

1E1 a) 1: Elke Lang. Sie kommt aus Basel. 2: Das ist Hans-Peter Fuchs. Er kommt aus Köln. 3: Das ist Klaus Neumann. Er kommt aus München. 4: Das ist Carola Schröder. Sie kommt aus Mainz.

b) 2: Erbenhausen 3: Lehrbach 4: Heimertshausen 5: Erbenhausen 6: Ober-Gleen 7: Heimertshausen.

2A1 1: der Radiergummi 2: die Tasche 3: das Heft 4: die Lampe 5: der Füller 6: das Regal 7: das Bild 8: die Landkarte 9: der Tisch 10: das Buch 12: die Kreide 13: das Tonbandgerät 14: der Stuhl 15: der Tageslichtprojektor.

2A3 1: Was kostet eine Tasse Kaffee? - Eine Mark achtzig. 2: Was kostet ein Kännchen Kaffee? - Drei Mark fünfzig. 3: Was kostet ein Glas Milch? - Eine Mark. 4: Was kostet eine Dose Cola? - Eine Mark dreißig. 5: Was kostet ein Viertel Wein? - Drei Mark achtzig. 6: Was kostet eine Flasche Bier? - Eine Mark sechzig./ Was kostet eine Flasche Sprudel? - Neunzig Pfennig. 7: Was kostet eine Gulaschsuppe? - Zwei Mark siebzig. 8: Was kostet ein Paar Würstchen mit Brot? - Zwei Mark siebzig. 9: Was kostet eine Bratwurst? - Eine Mark achtzig. 10: Was kostet ein Schinkenbrot? - Zwei Mark achtzig. 11: Was kostet ein Käsebrot? - Zwei Mark dreißig.

2A4 1: Es ist drei Uhr dreißig/halb vier. - Nacht. 2: Es ist fünfzehn Uhr dreißig/halb vier. - Nachmittag. 3: Es ist zwei Uhr fünf/fünf Minuten nach zwei. - Nacht. 4: Es ist sechzehn Uhr zehn/zehn Minuten nach vier. - Nachmittag. 5: Es ist fünf Uhr fünfundzwanzig/fünfundzwanzig Minuten nach fünf/fünf Minuten vor halb sechs. - Morgen.

2A5 acht Uhr fünfzig; zwölf Uhr fünfzig. Sydney; London und Paris.

2C 1: JA 2: NEIN 3: JA 4: JA 5: JA 6: NEIN 7: NEIN 8: JA 9: JA 10: NEIN 11: JA 12: NEIN 13: JA

2D1 1: Was ist das? 2: Was ist das? 3: Wer ist das? 4: Was ist das?

2D2 a) 1: Möchten Sie ein Kännchen Kaffee? 2: Möchten Sie eine Flasche Bier? 3: Möchten Sie ein Schinkenbrot? 4: Möchten Sie eine Portion Pommes Frites?

b) 2: Möchtest du ein Glas Milch? 3: Möchtest du einen Füller? 4: Möchtest du einen Bleistift? 6: Möchtest du ein Paar Würstchen? 7: Möchtest du eine Zigarre? 8: Möchtest du einen Sprudel?

c) 2: Nehmen wir eine Portion Pommes Frites? 3: Nehmen wir eine Flasche Sprudel? 4: Nehmen wir ein Käsebrot? 5: Nehmen wir eine Gulaschsuppe? 6: Nehmen wir einen Hamburger?

2E2 b) 1.79; 1.88; 1.98; 5.65; zuviel; nur.

2E3 1: 15.05; 2: 87,36; 3: 73.60; 4: 75.60; 5: 87.50.

2E4 a) *EG-Länder:* Export: Nr. 3; Nr. 12; Nr. 6; Nr. 1; Nr. 4; Nr. 2.
Import: Nr. 4; Nr. 6; Nr. 2; Nr. 3; Nr. 1.
Nicht-EG-Länder: Export: Nr. 11; Nr. 9; Nr. 8; Nr. 7; Nr. 10; Nr. 5.
Import: Nr. 8; Nr. 10; Nr. 11; Nr. 7; Nr. 9; Nr. 12; Nr. 5.

b) *EG-Länder:* Mehr Export nach ..... als Import aus .....: Frankreich; Belgien/ Luxemburg; England; Dänemark.
Mehr Import aus ..... als Export nach .....: Italien; Niederlande.
Nicht-EG-Länder: Mehr Export nach ..... als Import aus .....: UdSSR; Schweden; Schweiz; Österreich; USA; Iran.
Mehr Import aus ..... als Export nach .....: Libyen, Japan.

3A1 1 ist die Hand; 2 ist der Arm; 3 ist der Kopf; 4 ist der Mund; 5 ist die Nase; 6 ist das Auge; 7 ist die Brust; 8 ist der Hals; 9 ist der Popo; 10 ist der Bauch; 11 ist der Finger; 12 ist das Bein; 13 ist das Knie; 14 ist der Fuß.

3C b) 1p; 2n; 3a; 4j; 5d; 6o; 7e; 8h; 9m; 10b; 11l; 12k; 13i; 14f; 15c; 16g.

3D1 1: Kommst du mit? - Ja, ich komme mit. 2: Woher kommen sie? - Sie kommen aus Paris. 3: Woher kommt er? - Er kommt aus New York. 4: Was trinkt ihr? - Wir trinken ..... 5: Sprecht ihr Deutsch? - Ja (, wir sprechen Deutsch). 6: Habt ihr Hunger? - Ja (, wir haben Hunger). 7: Wie heißt ihr? - Wir heißen ..... 8: Geht ihr ins Museum? - Ja (, wir gehen ins Museum). 9: Tut die Brust weh? - Ja (, die Brust tut weh). 10: Was eßt ihr? - Wir essen ..... 11: Haben sie genug Wein? - Ja (, sie haben genug Wein). 12: Wie ist das Wetter? - Das Wetter ist ..... 13: Seid ihr aus Brasilien? - Nein, wir sind aus ..... 14: Sind sie aus Amerika? - Nein, sie sind aus ..... .

3D2 1: Trink doch mit! 2: Wir trinken Bier. Trinkt doch mit! 3: Mach doch mit! 4: Wir machen Picknick. Macht doch mit! 5: Spiel doch mit! 6: Wir spielen Fußball. Spielt doch mit!

3D3 1: (1) Wer macht das Essen? (2) Was macht Frau Wolter? 2: (1) Wer hat Wurst, Brot und Bier? (2) Was hat sie? 3: Wer arbeitet? 4: (1) Wer schreibt einen Brief? (2) Was schreibt er? 5: Wer küßt Frau Lang?

3D4 1: Kommen Sie auch mit? 2: Trinken Sie auch Wein? 3: Essen Sie auch ein Schinkenbrot? 4: Gehen Sie auch in den Dom? 5: Gehen Sie auch mit? 6: Kommen Sie auch aus Nigeria? 7: Sprechen Sie auch ein bißchen Deutsch? 8: Sind Sie auch krank? 9: Haben Sie auch Durst?

3D5 Rocko ist ein U.L. Aber auch er hat einen Kopf, zwei Augen, zwei Ohren, einen Mund und eine Nase. Er hat zwei Arme, zwei Hände, zwei Beine und zwei Füße. Er hat auch eine Brust und einen Bauch.

3E2 1: Petrovich. 2: Henschel. 3: Otremba. 4: Höpfl. 5: Steffel. 6: Linseisen. 7: Harre. 8: Wimmer.

4.4 1b; 2a; 3c; 4f; 5e; 6d; 7h; 8g.

___

4 Wiederholungsübungen
(Lösungsbeispiele!)
1: Nein danke (, ich möchte kein Bier). 2: (1) Ja (, gerne). (2) Nein (, ich komme nicht mit). 3: (1) Ich heiße/bin nicht Nancy. (2) Schlecht (, ich habe Kopfschmerzen). 4: (Tut mir leid,) das weiß ich nicht (, ich habe keine Uhr). 5: (1) Verzeihung, wie ist Ihr Name? (2) Ich heiße auch Watanabe (, guten Tag). 6: Rocko trinkt nur Ö.L.

___

1-4 Kontrollaufgaben
A. *Wörter:* 1d; 2c; 3b; 4d; 5c; 6a; 7b; 8a; 9c; 10d; 11c; 12a; 13d; 14d; 15a.
B. *Grammatik:* 1d; 2c; 3b; 4a; 5d; 6b; 7b; 8b; 9a; 10c.
C. *Orthographie:* 1: Guten 2: geht 3: Ganz 4: Auch 5: ist 6: Freut 7: schreibt 8: einmal 9: Frankreich 10: Brasilien 11: trinken 12: nehme 13: lieber 14: Sprechen 15: Französisch 16: leider 17: Englisch 18: sind.
D. *Lesen und Verstehen:* 1: NEIN 2: NEIN 3: JA 4: NEIN 5: JA 6: NEIN 7: NEIN 8: NEIN 9: NEIN 10: NEIN
E. *Sprechen:* 1c; 2b; 3d; 4a; 5c; 6c; 7a; 8c; 9b; 10d.

Vorschläge zur Wiederholung:

Teil A: 0-10		→	Kapitel 1,2,3: A- und C-Teile
Teil B: 0-7		→	Kapitel 1,2,3: D-Teile
Teil C: 0-12	richtige Lösungen	Wiederholen Sie bitte: →	Kapitel 1,2,3: A-,C-,E-Teile
Teil D: 0-7		→	Kapitel 3: C-Teil
Teil E: 0-7		→	Kapitel 1,2,3: B-Teile

5A2 1: Wann geht die Maschine nach Berlin? - Um zwölf Uhr fünfundvierzig./Um vierzehn Uhr fünfundfünfzig. 2: Wann geht die Maschine nach Frankfurt? - Um elf Uhr zehn./Um elf Uhr zwanzig./Um vierzehn Uhr fünfzehn./Um fünfzehn Uhr fünfundzwanzig. 3: Wann geht die Maschine nach Hamburg? - Um elf Uhr zwanzig./Um vierzehn Uhr fünf. 4: Wann geht die Maschine nach Stuttgart? - Um elf Uhr dreißig. 5: Wann geht die Maschine nach Hannover? - Um elf Uhr fünfzig.

5A3 d) 1: In Bayern am siebten April. 2: In Hamburg am fünften März. 3: In Berlin am zweiten April. 4: Im Saarland am zweiten April.

e) 1: In Nordrhein-Westfalen vom einundzwanzigsten Juni bis zum vierten August. 2: In Niedersachsen vom neunzehnten Juli bis zum neunundzwanzigsten August. 3: In Bremen vom neunten Juli bis zum ersten September. 4: In Baden-Württemberg vom sechsundzwanzigsten Juli bis zum fünften September. 5: In Schleswig-Holstein vom zwölften Juli bis zum zweiundzwanzigsten August. 6: In Hessen vom zwölften Juli bis zum zweiundzwanzigsten August.

5A6 1: das Glas 2: die Flasche 3: der Schrank 4: das Bild 5: der Sessel 6: die Vase 7: der Teppich 8: das Bett 9: das Bild 10: die Waschmaschine 11: der Herd 12: die Steckdose 13: das Auto 14: die Eisenbahn 15: die Puppe 16: die Handtasche 17: der Blumenstrauß 18: die Badewanne 19: der Spiegel 20: das Waschbecken 21: der Stuhl 22: der Tisch 23: das Buch 24: der Kalender

5C1/2 a) 1: (1) Heute ist der elfte Dezember neunzehnhundertneunundachtzig. (2) Heute haben wir den elften Dezember neunzehnhundertneunundachtzig. 2: (1) Heute ist der dreizehnte März neunzehnhundertzweiundachtzig. (2) Heute haben wir den dreizehnten März neunzehnhundertzweiundachtzig. 3: (1) Heute ist der einunddreißigste August neunzehnhunderteinundachtzig. (2) Heute haben wir den einunddreißigsten August neunzehnhunderteinundachtzig. 4: (1) Heute ist der zwanzigste Juni neunzehnhundertzweiundachtzig. (2) Heute haben wir den zwanzigsten Juni neunzehnhundertzweiundachtzig. 5: (1) Heute ist der siebzehnte Februar neunzehnhundertfünfundachtzig. (2) Heute haben wir den siebzehnten Februar neunzehnhundertfünfundachtzig. 6: (1) Heute ist der sechzehnte September neunzehnhundertachtzig. (2) Heute haben wir den sechzehnten September neunzehnhundertachtzig. 7: (1) Heute ist der dritte Mai neunzehnhundertzweiundachtzig. (2) Heute haben wir den dritten Mai neunzehnhundertzweiundachtzig. 8: (1) Heute ist der achte Oktober neunzehnhundertdreiundachtzig. (2) Heute haben wir den achten Oktober neunzehnhundertdreiundachtzig. 9: (1) Heute ist der fünfundzwanzigste April neunzehnhundertsechsundachtzig. (2) Heute haben wir den fünfundzwanzigsten April neunzehnhundertsechsundachtzig. 10: (1) Heute ist der siebte Juli neunzehnhundertvierundachtzig. (2) Heute haben wir den siebten Juli neunzehnhundertvierundachtzig. 11: (1) Heute ist der zwölfte November neunzehnhundertsiebenundachtzig. (2) Heute haben wir den zwölften November neunzehnhundertsiebenundachtzig.

b) hat; Kopfschmerzen; ruft; möchte; Sprechstundenhilfe; Haben; lange; heute; kommen; geht; möchte; starke; Montag/neunundzwanzigster Juli; Dank.

5C3 1a; 2c; 3b; 4i; 5d; 6h; 7f; 8g; 9j; 10e.

5D1 1: Das ist eine Lampe. 2: Das Wetter ist schlecht. 3: Ihr Platz ist in Reihe 5. 4: Mein Name ist ..... 5: Ich komme aus ..... 6: Ich suche meinen Schlüssel. 7: Wir fragen den Lehrer. 8: Ich habe eine Mark. 9: Die Tasche gehört Frau Bauer. 10: Dein Zimmer gefällt mir (ganz) gut/nicht. 11: Heute ist der erste April ..... 12: Wir kommen um halb acht/um neunzehn Uhr dreißig. 13: Ich bleibe zwei Stunden. 14: Es ist eine Minute vor sechs/siebzehn Uhr neunundfünfzig.

5D2 1: Nein, dich nicht. 2: Nein, euch nicht. 3: Nein, dir nicht. 4: Nein, euch nicht. 5: Nein, mir nicht. 6: Nein, uns nicht. 7: Nein, uns nicht. 8: Nein, mir nicht. 9: Nein, dich nicht. 10: Nein, euch nicht. 11: Nein, euch nicht. 12: Nein, dich nicht. 13: Nein, uns nicht. 14: Nein, mir nicht.

5D3 1: Sie gehört ihr. 2: Sie gehört ihnen. 3: Sie gehört ihm. 4: Es gehört ihnen. 5: Es gehört ihr. 6: Es gehört ihm. 7: Es gehört ihm. 8: Sie gehören ihnen.

5D4 1: Wem gehört die Tasche? 2: Wen suchst du/suchen Sie? 3: Wen suchst du/suchen Sie? 4: Wem gehört die Karte? 5: Wem gehört das Buch? 6: Wen sucht ihr/suchen Sie? 7: Was sucht ihr/suchen Sie? 8: Was brauchst du/brauchen Sie? 9: Wem gehören die Zigaretten? 10: Was braucht ihr/brauchen Sie?

5D5 1: Ja, das ist ihre Tasche. 2: Ja, das ist ihr Gepäck. 3: Ja, das ist ihre Wohnung. 4: Ja, das ist ihr Buch. 5: Ja, das ist sein Bild. 6: Ja, das ist ihr Platz. 7: Ja, das ist sein Schlüssel. 8: Ja, das ist ihr Zimmer. 9: Nein, das sind nicht uns(e)re. 10: Nein, das sind nicht uns(e)re. 11: Nein, das sind nicht meine. 12: Nein, das sind nicht meine. 13: Nein, das sind nicht uns(e)re. 14: Nein, das sind nicht meine. 15: Nein, das sind nicht uns(e)re. 16: Nein, das sind nicht uns(e)re.

5D6 1: dein 2: Ihre 3: unser 4: meinen/meine 5: sein 6: eu(e)re 7: dein 8: seine 9: ihre.

5D7 1: Wie heißt du/Wie heißen Sie? 2: Wer ist das? 3: Was ist das? 4: Wie ist das Wetter? 5: Wem gehört das Gepäck? 6: Wo ist Susi? 7: Wieviel Uhr ist es? 8: Was möchtest du/möchten Sie? 9: Was braucht ihr? 10: Wen küßt Herr Lang? 11: Wer macht das Essen? 12: Woher kommt Leo Santos? 13: Wie gefällt dir/Ihnen das Wohnzimmer? 14: Wem gehören die Schlüssel? 15: Wieviel Geld hast du/haben Sie? 16: Der wievielte ist heute? 17: Was/Wieviel kostet das? 18: Wen suchst du/suchen Sie? 19: Wie lange dauert der Flug? 20: Von wann bis wann gehen die Ferien? 21: Wann bist du/sind Sie wieder hier? 22: Wann fahrt ihr/fahren Sie in Urlaub? 23: Bis wann/Wie lange bleibt ihr/bleiben Sie? 24: Wann kommt ihr/kommen Sie? 25: Wie lange bleibt ihr/bleiben Sie?

5E1 b) 1a; 2a; 3c; 4b; 5b.

5E2 1: Nein. Herr Hirnbeiß trinkt Bier. 2: Ja. 3: Ja. 4: Nein. Tee ist *kein* typisch deutsches Getränk./Bier ist ein typisch deutsches Getränk. 5: Ja. 6: Nein. Jeder Deutsche trinkt (im Durchschnitt) 7,5 Liter Spirituosen im Jahr. 7: Nein. In der Milch ist *kein* Alkohol. / In Bier/Wein/Spirituosen ist Alkohol. 8: Ja.

6A1 a) 1: die Nase 2: das Ohr 3: die Haare 4: der Daumen 5: der Zeigefinger 6: der Mund 7: die Hand 8: die Ferse 9: der Fuß 10: der Hals 11: der Arm 12: das Auge 13: die Brust 14: der Popo.
a: die Krawatte/der Schlips b: der Hut c: die Hose d: das Hemd/der Kragen e: die Weste f: das (der) Sakko g: die Bluse/der Kragen h: der Pullunder i: das Hemd j: der Rock.

6A3 a) A3/A6, B1/B4, C2/C5.

6C 1: JA 2: NEIN 3: JA 4: JA 5: NEIN 6: NEIN 7: JA.

6D1 1: das rote oder das blaue 2: die grüne oder die braune 3: das große oder das kleine 4: der schwarze oder der weiße 5: die graue oder die braune 6: der gelbe oder der rote 7: der helle oder der dunkle 8: das orange oder das beige 9: die großen oder die kleinen 10: die alten oder die modernen 11: die dunklen oder die hellen 12: die kleinen oder die großen.

6D2 1: Wie gefällt dir meine neue Krawatte? - Deine alte gefällt mir besser. 2: Wie gefällt dir mein neues Kleid? - Dein altes gefällt mir besser. 3: Wie gefällt euch unsere neue Wohnung? - Eure alte gefällt uns besser. 4: Wie gefällt euch unser neuer Tisch? - Euer alter gefällt uns besser. 5: Wie gefällt euch unser neues Bad? - Euer altes gefällt uns besser. 6: Sind das deine neuen Krawatten? Deine alten gefallen mir aber besser. 7: Sind das deine neuen Kleider? Deine alten gefallen mir aber besser. 8: Sind das deine neuen Hosen? Deine alten gefallen mir aber besser. 9: Sind das deine neuen Hemden? Deine alten gefallen mir aber besser.

6D3 1: Den finde ich nicht schlecht, den blauen finde ich aber noch besser. 2: Das finde ich nicht schlecht, das lange finde ich aber noch besser. 3: Die finde ich nicht schlecht, die schwarze finde ich aber noch besser. 4: Den finde ich nicht schlecht, den blauen finde ich aber noch besser. 5: Das finde ich nicht schlecht, das moderne finde ich aber noch besser. 6: Die finde ich nicht schlecht, die große finde ich aber noch besser.

6D4 1: Einen kleinen oder einen großen Hut? - Lieber einen kleinen! 2: Ein kleines oder ein großes Heft? - Lieber ein kleines! 3: Eine kleine oder eine große Tasche? - Lieber eine kleine! 4: Einen kleinen oder einen großen Koffer? - Lieber einen kleinen! 5: Eine kleine oder eine große Wohnung? - Lieber eine kleine! 6: Ein kleines oder ein großes Bad? - Lieber ein kleines! 7: Einen kleinen oder einen großen Mann? - Lieber einen kleinen! 8: Eine kleine oder eine große Frau? - Lieber eine kleine!

6D5 1: Wie findest du meine dunklen Krawatten? - Nicht schlecht, aber ich finde helle Krawatten besser. 2: Wie findest du meine langen Kleider? - Nicht schlecht, aber ich finde halblange Kleider besser. 3: Wie findest du meine grauen Hosen? - Nicht schlecht, aber ich finde blaue Hosen besser. 4: Wie findest du meine großen Hüte? - Nicht schlecht, aber ich finde kleine Hüte besser. 5: Wie findest du meine schwarzen Blusen? - Nicht schlecht, aber ich finde weiße Blusen besser.

6D6 1: Wie findest du meinen neuen Freund? Wie gefällt dir mein neuer Freund? Das ist mein neuer Freund. 2: Suchst du deinen alten Mantel? 3: Trinkst du ein großes Bier? Ich nehme ein kleines (Bier). 4: Ich brauche deinen schwarzen Mantel. Ich habe keinen schwarzen Mantel. Hier ist mein schwarzer Mantel. 5: Was kostet dein neuer Hut? Mir gefällt dein neuer Hut. Ich möchte auch einen neuen Hut. 6: Wir möchten ein helles/einen hellen Sakko. Hier ist ein helles/heller Sakko.

7A2 a) (Lösungsbeispiele!)
1: Wann geht/fährt ein Zug nach Paris? - Zehn Uhr vierundzwanzig ab Mainz. - Wann bin ich (dann) in Paris?/Wann ist der in Paris? - Siebzehn Uhr zehn. - Muß ich umsteigen? - Nein.
2: Wann geht ein Zug nach Rom? - Sieben Uhr vierunddreißig. - Wann ist der in Rom? - (Nachts) zwei Uhr sechsundzwanzig. - Muß ich umsteigen? - Ja, in Worms und in Mailand/Milano.
3: Wann fährt ein Zug von Straßburg nach Mainz? - Um sechzehn Uhr zweiundfünfzig. - Wann ist der in Mainz? - Um zwanzig Uhr zwanzig. - Muß ich da umsteigen? - Ja, in Offenburg und in Karlsruhe. Sie können aber auch in Offenburg und in Mannheim umsteigen, dann sind Sie um neunzehn Uhr dreiundzwanzig hier; das geht aber samstags nicht, auch nicht (in der Zeit) vom vierundzwanzigsten bis zum einunddreißigsten Dezember, vom vierundzwanzigsten bis zum sechsundzwanzigsten März und am vierzehnten Mai.

b) (Lösungsbeispiele!)
1: Um sieben Uhr zweiundfünfzig. Dann sind Sie um vierzehn Uhr fünf in Paris. - Muß ich umsteigen? - Ja, in Kaiserslautern. - Kann ich auch anders fahren? - Ja, um zehn Uhr vierundzwanzig; dann sind Sie um siebzehn Uhr zehn in Paris.
2: Er kann um siebzehn Uhr fünfundfünfzig fahren. - (Ja,) Er muß in Mailand/Milano und in Bologna umsteigen. - Er ist um vierzehn Uhr fünfzehn in Rom.
3: Sie wollen/möchten nach Straßburg. Sie wollen/möchten/müssen spätestens um 22 Uhr in Straßburg sein. Sie können den Zug um siebzehn Uhr fünfundfünfzig oder den (Zug) um achtzehn Uhr sechsundvierzig nehmen. Sie müssen in Offenburg oder in Mannheim und Offenburg umsteigen.
4: Er will/möchte einen Platz im Liegewagen. Er will/möchte nicht erster Klasse fahren. Er will/möchte nicht umsteigen. Er kann um zwei Uhr vierzehn fahren. Er ist dann um neunzehn Uhr vierundfünfzig in Rom.

7A4/5
b) 1: Warst du/Du warst doch gestern nicht zu Hause? 2: Hattest du keine Zeit? 3: Hattest du Besuch? 4: War Nancy (nicht) da? 5: Warst du krank? 6: Warst du (nicht) betrunken?

7A1-5 (Lösungsbeispiele!)
1: Ich will noch nicht nach Hause, ich will noch etwas trinken/weitertrinken.
Ich fahre nicht mit; du bist betrunken; ich gehe (lieber) zu Fuß.
Ich fahre nicht mit; du bist betrunken; ich nehme (lieber) ein Taxi.
2: Ich möchte nach Rom; ich muß (spätestens) vormittags um acht Uhr da sein; ich möchte einen Platz im Schlafwagen, und ich möchte nicht umsteigen. Welchen Zug kann ich nehmen?
3: Verzeihung, darf ich rauchen?

4: Du, Peter, ich habe (im Moment) keine Zeit, ruf' doch bitte später noch einmal an!/Ich ruf' dich später noch einmal an.
5: (1) Wunderbar, das Wetter war phantastisch, wir hatten/ich hatte nur Sonne, das Hotel war sehr gut, das Essen war prima.
(2) (a) Nicht so gut/Nicht besonders; das Wetter war schlecht; wir hatten/ich hatte fast nur Regen; das Zimmer war laut und das Essen war scheußlich. (b) Ganz gut; das Wetter war nicht immer schön; wir hatten/ich hatte manchmal auch Regen; das Zimmer war nicht schlecht und das Essen auch nicht.

7C1 a) lieber; kommt; aus; möchte; feiern; euch; einladen; kommen; könnt; mir; mich; mir; Ihr; Herzliche.

7C3 1: NEIN 2: JA 3: NEIN 4: JA 5: JA

7D1 1: Ich will nach London. - Wohin wollen Sie?
2: Ich will nach Bangkok. - Wohin wollen Sie?
3: Wir wollen nach Honolulu. - Wohin wollt ihr?
4: Wir wollen nach Tokio. - Wohin wollt ihr?
5: Ich will nach Kopenhagen. - Wohin wollen Sie?
6: Wir wollen nach Nigeria. - Wohin wollt ihr?
7: Wir müssen nach Stockholm. - Wohin müßt ihr?
8: Ich muß nach New York. - Wohin mußt du?
9: Wir müssen nach Australien. - Wohin müßt ihr?
10: Ich muß nach Hause. - Wohin mußt du?
11: Wir müssen nach Madrid. - Wohin müßt ihr?
12: Ich muß nach Athen. - Wohin mußt du?
13: Wir möchten euch sehen. - Dürfen wir euch sehen? 14: Ich möchte bei euch schlafen. - Darf ich bei euch schlafen? 15: Ich möchte noch ein Käsebrot essen. - Darf ich noch ein Käsebrot essen? 16: Wir möchten noch ein bißchen schlafen. - Dürfen wir noch ein bißchen schlafen? 17: Wir möchten noch hierbleiben. - Dürfen wir noch hierbleiben? 18: Ich möchte dich küssen. - Darf ich dich küssen? 19: Ihr sollt nach München kommen. - Könnt ihr das? 20: Du sollst nach Amerika fliegen. - Kannst du das? 21: Du sollst allein fahren. - Kannst du das? 22: Ihr sollt Deutsch sprechen. - Könnt ihr das? 23: Du sollst eine Woche lang hierbleiben. - Kannst du das? 24: Ihr sollt Skat mitspielen. - Könnt ihr das?

7D2 1: Wollt ihr *heute* arbeiten? - Wir wollen nicht, wir müssen. 2: Willst du schon aufhören? - Ich will nicht, ich muß. 3: Wollt ihr zehn Stunden arbeiten? - Wir wollen nicht, wir müssen.
4: Willst du alle diese Bücher lesen? - Ich will nicht, ich muß. 5: Willst du dein Haus verkaufen? - Ich will nicht, ich muß. 6: Wollt ihr schon wieder wegfahren? - Wir wollen nicht, wir müssen.

7D3 1: Wollt ihr nicht mitfahren? - Wir können nicht. 2: Willst du nicht aufhören? - Ich kann nicht. 3: Willst du mich nicht küssen? - Ich kann nicht. 4: Willst du nicht nach Hause fahren? - Ich kann nicht. 5: Wollt ihr nicht noch etwas essen? - Wir können nicht. 6: Willst du mich nicht mal anrufen? - Ich kann nicht.

7D4 1: Was wollt ihr hier? - Wir wollen hier Picknick machen. - Das dürft ihr nicht. 2: Was willst du hier? - Ich will hier schlafen. - Das darfst du nicht. 3: Was wollt ihr hier? - Wir wollen hier singen. - Das dürft ihr nicht. 4: Was wollen Sie hier? - Ich will hier essen. - Das dürfen Sie nicht. 5: Was wollt ihr hier?

- Wir wollen hier Wein trinken. - Das dürft ihr
nicht. 6: Was wollen Sie hier? - Ich will hier
Bücher verkaufen. - Das dürfen Sie nicht.

7D5 1: Wo wart ihr gestern? Hattet ihr keine Zeit?
- Wir waren im Kino. 2: Wo waren Sie letzte
Woche? Hatten Sie keine Zeit? - Ich war in Ber-
lin. 3: Wo warst du vorgestern? Hattest du
keine Zeit? - Ich war zu Hause. 4: Wo waren
Sie gestern abend? Hatten Sie keine Zeit? -
Ich war im Bett. 5: Wo wart ihr am Samstag?
Hattet ihr keine Zeit? - Wir waren im Theater.
6: Wo wart ihr vorige Woche? Hattet ihr keine
Zeit? - Wir waren in Rom.

7E2 1-C-5-B-4-A-3-E-2-D

7E3b) 28 in Finnland, 27 in Portugal, 26 in Island,
22 in der Bundesrepublik, 17 in der DDR, 16 in
Italien, 13 in Großbritannien, 11 in Schweden.

8   Wiederholungsübungen
     (Lösungsbeispiele!)
     1: Verzeihung, ich habe Platz Nummer einhundert-
     sechsundzwanzig; Sie sitzen auf meinem Platz.
     2: (1) Nein, der gehört mir nicht, ich habe
     einen schwarzen. (2) Ja (, der gehört mir).
     3: (1) (Deine neue Wohnung) gefällt mir gut,
     (sie ist) so schön und so groß. (2) Die Küche
     finde ich praktisch. (3) Die ist aber sehr teu-
     er./Das finde ich aber sehr teuer. (4) + (Also
     ehrlich,) deine neue Wohnung gefällt mir (über-
     haupt) nicht. - Deine neue Wohnung ist ganz
     nett.
     4: (1) (Tut mir leid,) das weiß ich (auch)
     nicht. (2) Heute haben wir den ..... .
     5: (1) Ich möchte heute (endlich einmal) ins
     Kino. (Komm doch mit!). ..... (2) Ich möchte
     heute (endlich mal) zum Fußball. (Geh doch
     allein ins Kino!) .....
     6: (1) Die gefällt mir gut, (die nehme ich).
     (2) Die ist mir zu teuer./Die gefällt mir nicht.
     (3) Ich möchte eine gelbe Bluse! (Haben Sie
     keine gelben Blusen?) (4) Die paßt mir nicht./
     Das ist nicht meine Größe, ich habe Größe .....
     7: Verzeihung, darf ich hier rauchen?
     8: Du, ..., ich habe (im Moment) keine Zeit,
     ich ruf' dich später an/ruf' doch später noch
     einmal an!
     9: Ich möchte (spätestens) um acht Uhr in Rom
     sein und (ich) möchte nicht umsteigen. Wann
     kann ich (da) fahren?
     10: (1) Ich will noch nicht nach Hause, ich
     möchte noch etwas trinken. (2) Nein danke, ich
     gehe (lieber) zu Fuß. (3) Nein danke, ich nehme
     (lieber) ein Taxi. (4) Mit dir fahre ich nicht,
     du bist betrunken, ich fahre (lieber) mit .....

5-8 Kontrollaufgaben
     A. Wörter: 1b; 2a; 3c; 4d; 5c; 6b; 7a; 8c; 9d;
     10c.
     B. Grammatik: 1: schmeckt 2: dürfen 3: gehe
     4: Kannst 5: war 6: bist 7: hast 8: Wem
     9: ein 10: mein
     C. Orthographie: 1: Heiratsanzeige 2: Junger
     3: blond 4: groß 5: sucht 6: liebevolle
     7: gutaussehende 8: intelligente 9: nichts
     10: dich 11: Typ 12: nett 13: schlank
     14: blond 15: groß 16: weiß 17: paßt
     18: doch 19: schon 20: alt
     D. Lesen und Verstehen: 1d; 2c; 3c; 4b; 5a;
     6b; 7a; 8c; 9b; 10d; 11c.
     E. Sprechen: 1b; 2d; 3b; 4c; 5d; 6b; 7a; 8c;
     9d; 10b.

Vorschläge zur Wiederholung:

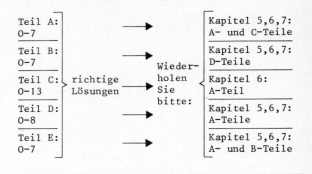

9A2 1: der Teppich; Der Teppich liegt auf dem Boden.
     2: das Sofa/die Couch; Das Sofa steht auf dem
     Teppich. 3: das Bild; Das Bild hängt an der
     Wand. 4: der Käfig; Der Käfig hängt unter/an
     der Decke. 5: der Vogel; Der Vogel sitzt in
     dem/im Käfig. 6: der Mann; Der Mann liegt auf
     dem Boden/auf dem Teppich. 7: der Gummibaum;
     Der Gummibaum steht auf dem Boden/im Blumen-
     topf. 8: der Zwerg; Der Zwerg steht in dem/im
     Blumentopf. 9: der Blumentopf; Der Blumentopf
     steht auf dem Boden. 10: der Plattenspieler;
     Der Plattenspieler steht in dem/im Regal.
     11: das Regal; Das Regal steht an der Wand/auf
     dem Boden. 12: die Vase; Die Vase steht in
     dem/im Regal. 13: die Fotografie; Die Foto-
     grafie steht in dem/im Regal. 14: das Kissen;
     Das Kissen liegt auf dem Sofa.

9A4 Du zeichnest vier Quadrate (Seitenlänge 3 cm)
     mitten auf diese Pappe. Die Quadrate sollen in
     einer Linie von links nach rechts nebeneinander
     liegen.
     Du zeichnest je ein Quadrat über und unter das
     dritte Quadrat von links. Du malst auf diese
     beiden Quadrate einen blauen Kreis.
     Du malst auf das erste und dritte Quadrat von
     links einen roten Kreis und auf das zweite und
     vierte Quadrat einen grünen Kreis.
     Jetzt schneidest du (bitte) die ganze Figur
     aus und machst daraus einen Körper. Die bunten
     Kreise sollen nach außen zeigen.
     Wenn die blauen, roten und grünen Kreise auf den
     gegenüberliegenden Flächen sind, dann hast du
     die Aufgabe richtig gelöst.

9C2 (Lösungsbeispiele!)
     1: "Sie sind hier, (das) freut mich. Die Königin
     wartet schon. Berlin gefällt Ihnen hoffentlich."
     2: "Wir/Sie fahren nach Potsdam, der Adjutant
     weiß das schon."
     3: "Warum stehen Sie/steht sie am Halleschen
     Tor? Sie kommen doch von Frankfurt!"
     4: "Die Fahrer sind oft dumm, Sie brauchen sich
     nicht zu entschuldigen."
     5: "Der Baron ist ein komischer Mensch. Er kann
     nicht richtig sprechen."

9D1 1: Und wie komme ich dahin? - Gehen Sie da
     hinunter! 2: Und wie komme ich dahin? - Gehen
     Sie da hinauf! 3: Und wie komme ich dahin? -
     Gehen Sie da (in die erste Straße rechts) hin-
     ein!

9D2   1: In deiner alten Hose oder in deiner neuen Hose. 2: In deiner rechten Sakkotasche oder in deiner linken Sakkotasche. 3: In deinem grauen Mantel oder in deinem schwarzen Mantel. 4: In deinem kleinen Koffer oder in deinem großen Koffer. 5: In deinem schwedischen Buch oder in deinem französischen Buch. 6: In deinem hellbraunen Regal oder in deinem dunkelbraunen Regal.

9D3   1: Ein kleines Mädchen mit kurzen, blonden Haaren, das ein blaues Kleid und einen gelben Anorak trägt. 2: Eine junge Frau mit langen, schwarzen Haaren, die einen grünen Rock und einen weißen Pullover trägt. 3: Ein junger Mann mit kurzen, roten Haaren, der eine blaue Hose und ein gelb-rotes Hemd trägt. 4: Eine ältere Dame mit kurzen, grauen Haaren, die einen langen Mantel und einen großen Hut trägt.

9D4   1: Ich habe einen Freund, der Engländer ist. 2: Wir nehmen den Zug, der um 13.15 Uhr in Berlin ist. 3: Wir haben Freunde, die in Japan und China waren. 4: Ich suche eine Frau, die etwa 30 Jahre alt ist und braune Haare hat. 5: Wir haben ein Kind, das noch klein ist und viel schreit.

10C1a) a6, a9; b13, b17; c12, c18; d15,(d16); e3, e7, e18,(e20); f13; g1, g11; h2, h19; i14, i20.

10D1   1: gegessen/gekauft; Wir haben Bratwürste gegessen/gekauft. Und ihr? Was habt ihr gegessen/gekauft? 2: getrunken/gekauft; Wir haben Wein getrunken/gekauft. Und ihr? Was habt ihr getrunken/gekauft? 3: getroffen/gesehen; Wir haben Nancy getroffen/gesehen. Und ihr? Wen habt ihr getroffen/gesehen? 4: gefahren; Wir sind nach München gefahren. Und ihr? Wohin seid ihr gefahren?

10D2   1: Was hast du denn wirklich getrunken? 2: Was hast du denn wirklich gekauft? 3: Wem hast du denn wirklich geholfen? 4: Wohin bist du denn wirklich gefahren? 5: Was hat das denn wirklich gekostet? 6: Wen hast du denn wirklich gesucht? 7: Wie viele Zigaretten hast du denn wirklich geraucht? 8: Wem hast du denn wirklich geschrieben? 9: Wie lange hast du denn wirklich gearbeitet?

10D3   1: Wie war das Wetter? 2: Wem gehörte das Gepäck? 3: Wo war Susi? 4: Wieviel Uhr war es? 5: Wen küßte Herr Lang? 6: Wer machte das Essen? 7: Woher kam Herr Santos? 8: Wem gehörten die Schlüssel? 9: Wieviel Geld hattest du (nur noch)? 10: Der wievielte war gestern? 11: Was/Wieviel kostete das Kleid (nur)? 12: Wen suchtest du? 13: Wie lange dauerte der Flug (nur)? 14: Wann/Am wievielten fingen die Ferien an? 15: Bis wann/Wie lange bliebt ihr? 16: Wie war die Wohnung? 17: Wem gefiel das Spiel nicht? 18: Was schmeckte Madeleine nicht? 19: Wen traft ihr in der Stadt? 20: Welches Kleid kaufte sie?

10D4   1: Ich habe nicht zum Zahnarzt gehen wollen! 2: Ich habe nicht so viel Geld ausgeben wollen! 3: Ich habe nicht noch ein Jahr warten können! 4: *Ich* habe nicht mit meinem Freund Urlaub machen dürfen! 5: *Wir* haben mit 16 Jahren nicht allein verreisen dürfen! 6: Du hast mich nicht heiraten müssen! 7: Ihr habt nicht mit uns in Urlaub fahren müssen!

10D5   1: In das/Ins Museum. In dem/Im Museum. Aus dem Museum. 2: In das/Ins Rathaus. In dem/Im Rathaus. Aus dem Rathaus. 3: In den Dom. In dem/im Dom. Aus dem Dom. 4: In das/Ins Kino. In dem/Im Kino. Aus dem Kino. 5: In das/Ins Theater. In dem/Im Theater. Aus dem Theater. 6: In das/Ins Gasthaus. In dem/Im Gasthaus. Aus dem Gasthaus. 7: In die Wohnung. In der Wohnung. Aus der Wohnung. 8: In das/Ins Bad. In dem/Im Bad. Aus dem Bad. 9: In die Boutique. In der Boutique. Aus der Boutique. 10: In das/Ins Büro. In dem/Im Büro. Aus dem Büro. 11: In die Firma. In der Firma. Aus der Firma. 12: In die Kirche. In der Kirche. Aus der Kirche.

10D6   1: Auf den Schreibtisch. - Auf dem Schreibtisch liegt sie aber nicht! 2: In die Brieftasche. - In der Brieftasche ist er aber nicht! 3: In das/Ins Regal. - In dem/Im Regal liegen sie aber nicht! 4: In die Küche. - In der Küche ist sie aber nicht! 5: Unter die Hemden. - Unter den Hemden liegt er aber nicht! 6: Auf die Tasche. - Auf der Tasche liegt er aber nicht! 7: Neben die Hose. - Neben der Hose liegt es aber nicht!

11A4a) 2: Spanien/Madrid 3: Italien/Rom 4: Griechenland/Athen 5: Albanien/Tirana 6: Bulgarien/Sofia 7: Jugoslawien/Belgrad 8: Frankreich/Paris 9: Schweiz/Bern 10: Österreich/Wien 11: Ungarn/Budapest 12: Rumänien/Bukarest 13: Tschechoslowakei/Prag 14: Bundesrepublik Deutschland/Bonn 15: Luxemburg/Luxemburg 16: Belgien/Brüssel 17: Holland (Niederlande)/Den Haag 18: DDR/Berlin (Ost) 19: Polen/Warschau 20: Dänemark/Kopenhagen 21: England/London 22: Schottland/Edinburgh 23: Irland/Dublin 24: Nordirland/Belfast 25: Norwegen/Oslo 26: Schweden/Stockholm 27: Finnland/Helsinki 28: Türkei/Ankara.

11D1   1: Nimm doch das Zimmer im ersten Stock, das ist heller. 2: Nimm doch den VW Golf, der ist besser. 3: Nimm doch das rote Kleid, das ist schöner. 4: Nimm doch den Zug um 9 Uhr, der ist schneller. 5: Nimm doch die Tasche zu 30 Mark, die ist größer. 6: Nimm doch dieses Radio, das ist kleiner.

11D2   1: Niemand ist so arm wie ich. Ich bin am ärmsten. 2: Niemand singt so gut wie du. Du singst am besten. 3: Niemand raucht und trinkt so viel wie du. Du rauchst und trinkst am meisten. 4: Niemand schreit so laut wie du. Du schreist am lautesten. 5: Niemand ißt mehr als du. Du ißt am meisten. 6: Keine Stadt ist schöner als Paris. Paris ist am schönsten. 7: Nichts ist so schön wie Fliegen. Fliegen ist am schönsten. 8: Niemanden liebe ich mehr als dich. Dich liebe ich am meisten. 9: Nichts lese ich lieber als die Zeitung. Die Zeitung lese ich am liebsten. 10: Niemand ist so einsam wie ich. Ich bin am einsamsten.

11D3   1: Ich hoffe, daß du gut geschlafen hast. 2: Ich meine, daß tausend Mark im Monat zu wenig sind. 3: Ich weiß, daß du mein bester Freund bist. 4: Ich habe genau gesehen, daß die Ampel schon rot war. 5: Ich weiß genau, daß ich 6 Bier und 3 Whisky hatte. 6: Habe ich dir nicht gesagt, daß Frankreich teurer als Italien ist? 7: Hast du nicht gewußt, daß wir 14 Tage (lang) in Amerika waren? 8: Ich hoffe, daß ihr mich einmal besucht. 9: Ich habe geglaubt, daß du mich liebst. 10: Siehst

du nicht, daß ich krank bin? 11: Ich hoffe,
daß diese Übung bald zu Ende ist. 12: Ich
glaube, daß ich die daß-Sätze jetzt kann.

11E2a)1d; 2c; 3a; 4b; 5f; 6e; 7g, 7h.

b)1: (1) Türkei (2) Jugoslawien (3) Italien
(4) Griechenland (5) Spanien.
2: (1) Stuttgart 19,1 % (2) Frankfurt 15,2 %
(3) München 15 % (4) Berlin (West) 11,4 %.
3: (1) Baugewerbe (2) Elektrotechnik
(3) Autoindustrie (4) Chemische Industrie
(5) Handel.

12.1a)1900: 13 Std. Arbeit pro Tag; 1918: 48 Stunden
Arbeit pro Woche; 1950: 14 Tage Urlaub im Jahr;
1978: 40 Stunden Arbeit pro Woche; 1980: 28
Tage Urlaub im Jahr.

b)1: JA 2: NEIN 3: NEIN 4: NEIN 5: NEIN

12.8c)1: die Schwierigkeit 2: die Höflichkeit
3: die Freundlichkeit 4: die Verschlossenheit
5: die Offenheit.

---

12 Wiederholungsübungen
(Lösungsvorschläge!)
1: (1) Tut mir leid, das weiß ich auch nicht.
(2) Gehen Sie bis zur zweiten Querstraße, dann
links.
2: (1) Das weiß ich (leider) auch nicht. (2)
(Er ist) in deiner Tasche. (3) Im Regal./Ich
habe ihn ins Regal gelegt.
3: Zuerst habe ich ein Stück Pappe genommen und
vier Quadrate mit einer Seitenlänge von 3 Zenti-
metern mitten auf diese Pappe gezeichnet. Die
Quadrate haben in einer Linie von links nach
rechts nebeneinander gelegen. Dann habe ich je
ein Quadrat über und unter das dritte Quadrat
von links gezeichnet; auf diese beiden Quadrate
habe ich einen blauen Kreis gemalt. Auf das
erste und dritte Quadrat von links habe ich
einen roten Kreis (gemalt) und auf das zweite
und vierte Quadrat habe ich einen grünen Kreis
gemalt. Dann habe ich die ganze Figur ausge-
schnitten und daraus einen Körper gemacht. Die
bunten Kreise haben nach außen gezeigt. Die

blauen, roten und grünen Kreise sind auf den
gegenüberliegenden Flächen gewesen.
4: Sie haben eine blaue Bluse für dreißig Mark
im Fenster; welche Größe ist das?
5: Heute habe/bin ich .....
6: Nancy, wo sind meine Zigaretten?/ich kann
meine Zigaretten nicht finden.
7: Komm, wir fahren mit dem Zug, nicht mit dem
Auto. Mit dem Auto ist es so gefährlich, außerdem ..... - Nein, fahren wir lieber mit dem
Auto. Das geht schneller ..... .
8: Nein, Bernd, ich möchte heute (lieber) ins
Kino, komm doch mit! .....
9: Ich möchte (lieber) ein kleines Auto. Das
ist billiger, außerdem ..... .

9-12 Kontrollaufgaben
A. *Wörter:* 1c; 2b; 3d; 4a; 5b; 6c; 7d; 8b; 9d;
10a.
B. *Grammatik:* 1: ADECB/ADBEC; 2: BADCEFG/
CEFGDBA; 3: BDCFEA; 4: BDCEFA; 5: BADCE;
6: CABDFEG/CAEGFBD; 7: EDAFCGBH; 8: BACEDF;
9: DACBE; 10: CABFED.
C. *Orthographie:* 1: Regal 2: ungefähr 3: kostet 4: bequemsten 5: höher 6: braucht
7: zweite 8: schützten 9: Verkehr 10: Unterhaltung.
D. *Lesen und Verstehen:* 1c; 2a; 3d; 4c; 5b; 6d;
7c; 8b; 9d; 10b.
E. *Sprechen:* 1b; 2b; 3b; 4b; 5d; 6c; 7a; 8d;
9b; 10a.

Vorschläge zur Wiederholung:

Teil A: 0-7		→	Kapitel 9,10,11: A- und C-Teile
Teil B: 0-7		→	Kapitel 9,10,11: D-Teile
Teil C: 0-7	richtige Lösungen	Wieder- holen Sie bitte:	Kapitel 9,10,11: A-Teile
Teil D: 0-7		→	Kapitel 9,10,11: A-, C- und E-Teile
Teil E: 0-7		→	Kapitel 9,10,11: B-Teile

Quellennachweis für Texte und Abbildungen

Wir danken für die Genehmigung zum Abdruck und freundliche Unterstützung:

Deutsche Bundesbahn, Bundesbahndirektion München (S. 56, 59)
Deutsche Bundespost (S. 9) Aus: Amtliches Fernsprechbuch 13, 1977/78
Ehapa Verlag (S. 92 [Bilder]) Aus: "Asterix und die Goten" von Goscinny und Uderzo. © Ehapa Verlag GmbH, Stuttgart
1973. (Schwarzweißabdruck des mehrfarbigen Originals)
Fremdenverkehrsamt der Landeshauptstadt München (S. 42, 43)
Globus-Kartendienst, Hamburg (S. 44)
Hessisch-Niedersächsische Allgemeine, Kassel (S. 118)
Der Spiegel, Hamburg (S. 116)
Südhausbau, München (S. 26)
Süddeutsche Zeitung, München (S. 69, 114)
Verlag Fritz Molden (S. 25) Statistik aus: Allensbacher Jahrbuch der Demoskopie 1977, Hg. E. Noelle-Neumann, Verlag
Fritz Molden, Wien 1977
Verkehrsamt der Stadt Köln (S. 82)